Rubén Lamarche ● ANIMALES ANTIGUOS

D1247604

Animales antiguos

Rubén Lamarche

CIELO NARANJA

Para comunicaciones:
webmaster@cielonaranja.com

ISBN: 978-9945-08-807-6

A mi madre, porque fue.
A Rebecca y Armando, porque son.
A G. G. P., por el dolor.
A Homero Pumarol, por leer y por ser exigente.
A José Carlos, por su hermandad.
Finalmente a Micaela, por estar, en medio
del fragor, con integridad.

"... nadie, ni siquiera la lluvia tiene manos
tan pequeñas."
E. E. Cummings

Bestias
después de la tormenta

No comprendía cómo el agua podía llegar a nuestros tobillos si estábamos tan cerca de los arrecifes y el mar había ya bajado de la parte alta y en gran medida de las calles. Estábamos apenas a unos metros de distancia del malecón, el agua cruzaba la avenida y se adentraba hacia la primera calle, más allá del parque, formando un largo charco de unas pulgadas de profundidad, a unos pies de distancia de donde nos encontrábamos. Al principio las olas golpeaban violentamente en los arrecifes y se levantaban lanzando su espuma negra, como una cortina de lodo y miasma por los aires. Nos detuvimos a observar. Nadie había llegado tan cerca del mar en los últimos meses. Éramos cinco grupos los que nos habíamos aventurado a bajar entre los escombros, los edificios caídos, las casas en ruinas, los árboles, el cableado eléctrico muerto y esparcido por todos lados, los cadáveres putrefactos, las algas, la arena y los despojos.

La oscuridad, en la forma de nubarrones grises que cubrían el cielo, estaba con nosotros como un presagio, se adhería a nuestros miembros, a la piel caliente y húmeda de nuestros cuerpos.

A veces llovía.

Apenas podíamos abrigarnos.

El mar era una extensa alfombra negra.

Todos estábamos ya acostumbrados a las ampollas en nuestros pies, a la costra blanca y blanca que los cubría, a la forma en que los dedos se arrugaban por la humedad. Nos habíamos acostumbrado a los hongos, a la pestilencia y las alergias. No había comida que no se consumiera ansiosamente y que no provocara diarrea al cabo de unas pocas horas.

Por la calle subía una brisa caliente y un vaho como de peces muertos...

Caminábamos lentamente.

A todo lo largo del malecón, antes poblado de palmeras que formaban una extensa línea que antes dibujaba la costa, solo se podían ver las ruinas de los edificios del otro lado de la calle. Caminábamos entre automóviles llenos de cangrejos y rémoras que se habían convertido en arrecifes de hierro, en piedras enmohecidas y saladas. No quedaba nada, ni postes del tendido eléctrico en pie, ni letreros, ni vallas, ni ventanas. Todos los monumentos habían caído. El golpe había sido brutal, de eso no nos quedaba duda. De los hoteles solamente quedaban las ruinas húmedas rellenas, en el interior, en lo profundo de los pasillos y habitaciones, de cadáveres.

Las casas se habían convertido en monstruos muertos que vomitaban algas vaporosas que caían en cascada por los balcones, salían disparadas por las ventanas, formaban cortinas en los vanos de las puertas.

Lo que nos separaba del mar, ese color rojizo de las rocas en la parte alta, ahora ese tono negruzco de los balcones de piedra que se forman con el constante batir del mar sobre la tierra, no existía. No había árboles entre la calle y el agua.

En una esquina nos encontramos con el grupo de Illidge: era el más grande de todos los que buscábamos qué comer o algo que no hubiera sido arrastrado por el mar, que no hubiera sido engullido por los peces, que no fuera lodo y podredumbre. Los pocos que quedaban de ellos se estaban matando entre sí. Illidge remataba a Graciano con un bate de béisbol, mientras al otro lado de la calle un muchacho gordo con cara rubicunda yacía en la cuneta con el pecho abierto: una inmensa caja sanguinolenta llena de largos tentáculos amarillos y blancos. Uno a quien llamaban Cansino se arrastraba mirándonos con ojos acuosos. Le faltaba una pierna. Pedía ayuda con un brazo extendido. Otro a quien no conocía se estaba comiendo las manos de un muerto. Tenía la mirada de un demente. Freddy, Juan Carlos y Marco estaban muertos también. Sus cuerpos estaban alineados perfectamente en medio de la calle. También había caracoles y arena. Los cadáveres tenían arena en la boca, los ojos, las narices y las orejas.

Illidge se puso en pie y nos miró:

—Ahora voy de cacería. Ahora soy yo el cazador.

Su voz era ronca, como la de quien ha sufrido una larga enfermedad de los pulmones. Parecía que tenía agua en la garganta. Era ronca y vibraba al mismo tiempo. Illidge parecía llorar. Temblaba. Le dije a Tony que recogiera dos pistolas que estaban en el suelo. También una lanza hecha con un largo trozo de madera y un cuchillo amarrado con alambre dulce.

Junior dijo "hay que ayudarlos".

—No, no hay que ayudarlos, contestó Aníbal tranquilamente. Nos mirábamos. No sabíamos qué hacer. Cansino, el sujeto sin pierna, comenzó a convulsionar. Se retorcía, se levantaba por los aires y caía, con los ojos desorbitados. Comenzamos a movernos hacia los lados, como replegándonos. Illidge se puso en pie y caminó hacia nosotros, con pasos inseguros. De repente parecía un demente de 70 años de edad. Temblaba con más fuerza.

—¿Qué les pasa? ¿Quién mató a esos que están allí?, preguntó Tony.

—No sé, no me importa. Vámonos... dije.

Illidge abrió los brazos, ahora era una cruz: Voy de cacería. ¡Yo soy el cazador! ¡Yo soy el cazador! ¡Voy de caceríaaaa!, gritó con el rostro desencajado, la mirada oscurecida por una nube de locura. ¡Yo traeré todo lo que necesitamos! ¡Lo traeré todo! ¡No se preocupen! ¡Ahora yo soy un árbol! ¡Fuerte como un árbol!

Y se golpeaba el pecho con el puño, parecido a los gorilas.

Encendimos una fogata y nos dedicamos a preparar una cena de víveres demasiado maduros y alguna latería que uno de los otros grupos había recobrado en su camino de regreso hacia la parte alta. Ya no quedaban supermercados que no hubiéramos saqueado en esta parte de la ciudad. Entrábamos, nos llevábamos lo que podíamos, lo que sirviera, lo que estuviera en aceptables condiciones.

Caminábamos lentamente. En ocasiones, leíamos los letreros caídos con cierta lasitud o bien un parsimonioso aire de estudio. Eran, o lucían, extraños. Uno realmente buscaba algo en ellos. Una clave... aunque lo que sucedió fue agua. Por todos lados. Subiendo desde el suelo, cayendo del suelo, a diestra y siniestra, a babor y a estribor, como diría un conocedor.

Algo importante: teníamos pocas armas. Algo iba a suceder, que algo venía...

II

Aquella noche, Galina sintió frío. Siendo, como era, una mujer hacendosa, adoptó una actitud en ella algo extraña, un no sé qué raro: se sentó a mi lado después de la cena, cuando encendíamos las fogatas que nos protegían de lo inesperado. Ella nunca hacía eso.

Nunca.

Durante las semanas siguientes, mientras el resto rumiaba incesantemente lo que había sucedido aquella tarde, ella permanecía callada, tranquila, y nunca lo comentaba.

Aloés: parecido a una oca, con el cuello muy alto, cabeza en punta como una pera muy gruesa, el cuerpo del volumen de una oca, sin escamas y con sus cuatro aletas bajo el vientre.

Hoga: Andura, también. La cabeza y las orejas parecidas a las de un cochinillo terrestre, cinco bigotes de medio pie de largo.

Tengo entendido que estos monstruos no existían, que eran criaturas cuyas características fueron documentadas bajo el rigor de la casual observación, por gente como Ambrosio Paré, en su viaje a las indias antes del 1585. Monstruos primigenios pertenecientes a especies extintas hace mucho tiempo que he visto recientemente resurgir del mar negro, con hambre.

Cuando encontramos la Lamia todavía luchaba por respirar, por vivir. Estaba varada entre unas rocas, en baja mar. Era ya el final de la tarde, todos estábamos cansados y desmoralizados porque no habíamos encontrado alimentos. Pensé que lo más inteligente sería desollarla y repartirla entre nosotros y otros grupos.

Era gigantesca aún bajo el manto del sol moribundo, de bronce, al otro lado de su lomo y dibujando sus aletas. El padre del tiburón, humillado en la playa.

Preparábamos las lanzas y los cuchillos cuando escuchamos los dos disparos. Samuel apuntaba su pistola, vacilante, a la masa inerte excepto por la quijada y la boca enorme, sus seis hileras de afilados dientes cubriendo su cielo cavernoso y oscuro.

¿Por qué carajo disparas?, le preguntó Junior.

Samuel lo miró, sin saber qué decir. Era una estupidez desperdiciar balas en un pez que de todas formas moriría y al que la munición no le haría ni cosquillas.

Era cuestión de tiempo.

Pero el tiempo se convirtió en el otro día.

Estuvimos cortando partes sanguinolentas y grasientas desde el amanecer, recogiendo los escombros escondidos en el interior de su estómago y devolviéndolos al mar. Durante la noche anterior, esperando, encendimos un fuego en el rompeolas que ahora era una línea de rocas largas y cubiertas de algas.

Nadie durmió. El mar rebotaba de los arrecifes. Teníamos miedo de lo que pudiera haber en nuestros alrededores. De lo que pudiera salir del espumoso golpe del mar sobre la playa, de las lilas que habían bajado con el ímpetu del río y desde oriente, formando una alfombra verde y negra del otro lado de los arrecifes y la playa.

Cuando llegamos a la parte alta de la ciudad arrastrando los pedazos de la Lamia en una especie de camilla improvisada con madera —la cabeza fue imposible de trepanar porque no teníamos ni sierras ni hachas— nadie se sintió especialmente feliz, no hubo algarabía ni expresiones exultantes por el hallazgo. La gente —mujeres y niños en su gran mayoría— nos vio subir una de las cuestas principales, sin expresión alguna de alivio porque habíamos desaparecido por una noche. Nadie preguntó qué había sucedido. Simplemente veían cómo, turnándonos cada diez pasos, cargábamos los troncos de carne parda y roja, los niños agachándose a oler el rastro de sangre y grasa que dejábamos atrás.

Todos comieron en silencio, incluyendo otro grupo que se nos unió —habían cruzado desde la margen oriental de la ciudad en balsas y habían caminado todo el día para poder llegar hasta nosotros.

"Pensamos que les había pasado algo," me dijo Galina, temblando de frío.

Bajar sin suficiente protección hacia los predios del mar era contraproducente. El día que encontramos a las mujeres llovió a cántaros. Una lluvia caliente y sucia. De esas que prometen calor y un mal sueño.

Por la mañana nos despertamos para descubrir las fogatas de las esquinas convertidas en humo y lodo negro. Las fogatas no eran solamente formas de mantener las calles iluminadas al caer la tarde y en las noches. Las mujeres luchaban por mantenerlas encendidas siempre. Nos calentábamos bajo su luz. Necesitábamos combustible de cualquier tipo.

Aquella mañana habíamos salido temprano. Ahora nuestro grupo era mayor en número. En esencia esto no presentaba problema alguno. Sólo teníamos que encontrar más comida. Anteriormente habíamos subido la Lamia entre los integrantes del primer grupo. Pero al compartirla la comida duró menos tiempo. Ahora las ansias por encontrar otro animal semejante eran mayores.

Al pasar por el Panteón Nacional encontramos una Rémora. Luego de luchar contra ella por algo más de una hora, logramos matarla. Era pálida, amarillenta y de mi tamaño. Nunca habíamos visto algo así. Al principio, cuando la encontramos, lucía adormilada y paciente. Luego de que la trinchamos se volvió una bestia salvaje. El único daño que causó fue el cruce de uno de sus breves y blancos tentáculos sobre la cara de Junior. Junior cayó de bruces, de cara al suelo de mármol corroído, como muerto.

Lo levantamos. Dos del grupo que recién había venido lo cargaron sobre grandes trozos de madera que encontraron en la fortaleza.

A todo esto la Rémora no emitió sonido alguno. Lo que hizo lo hizo en silencio.

Al final de la tarde, subiendo por lo que Samuel llamó "la Benito" nos encontramos con ellas.

Las mujeres.

Eran diez, más o menos.

Salieron disparadas de una casona destrozada, llamándonos y casi gritando. Lucían hambrientas. Nos pidieron ayuda. Les dijimos que las llevaríamos a sitio seguro, donde de hecho habíamos estado viviendo, mi grupo y yo, desde hacía meses (creo, creí entonces). Algunas de ellas sonrieron mientras las otras se ofrecían agradecidas a los otros miembros del grupo. No paraban de hablar. Nos hablaban de lo mucho que habían sufrido, del hambre que habían pasado, de los monstruos y criaturas que habían encontrado. Nos preguntaban qué había pasado. Nos preguntaban cuándo terminaría todo esto. No contestábamos. Nos limitábamos a señalar hacia el norte y a empujarlas calle arriba, diciéndoles que caminaran, que nos fuéramos de allí, que nadie sabía lo que podía suceder en esa parte, donde se dividieron las aguas, donde nadie había estado.

Lo que sucedió a continuación fue el infierno.

Cuando la primera de ellas saltó sobre Samuel, quien aparentemente comandaba el otro grupo, yo salí corriendo. Me detuve en la primera esquina. De alguna forma, ellas habían formado una especie de tijera a derecha e izquierda de mi grupo. Unos no pudieron sacar sus cuchillos a tiempo. Junior permanecía desmayado a un lado de la calle. Los otros luchaban: Samuel, garganta abierta, yacía debajo de una de ellas. El resto era gritos, mordidas, apretones y empujones... y ese sonido peculiar del hierro cuando atraviesa la carne.

Sangre.

Sangre fría.

De las diez murieron siete al instante. A las restantes tres las asesinamos lentamente. A uno de los nuestros le arrancaron una pierna. Gritaba como un demente. Dos más estaban destrozados, inertes, a la delantera y a la izquierda. El segundo del otro grupo mató al que le habían arrancado la pierna. Todos jadeábamos.

Yo había sido un cobarde.

De camino a la parte alta acordamos no decir a nadie lo que había sucedido.

El día que quemamos el cuerpo de Galina estuvimos despiertos hasta el amanecer. Mis amigos me habían ayudado tanto durante su enfermedad como ahora que había muerto.

Galina se había convertido en un delgado recuerdo. Como una membrana en mi cabeza. Ni siquiera el láudano que habíamos fabricado tres meses antes en aquella bodega la había ayudado. ¿Cómo iba a ayudarla, si ni siquiera sobre nosotros había surtido efecto?

Nos habíamos casado poco antes de tener que huir hacia la parte alta de la ciudad. Luego de dos abortos se enfermó gravemente, después de todo habían transcurrido meses, sino años, luego de lo que pasó... y nosotros ya no teníamos televisión. Estuve con ella todo el tiempo, en todo momento.

La enfermedad de Galina comenzó de la siguiente forma:

Primero perdió el apetito, luego perdió el sueño, y entonces no podía dejar de moverse, de pasearse por la calle, de caminar constantemente, de dar vueltas y más vueltas en la casa. Entonces comenzó a sufrir fiebres constantes... como marejadas de frío que la cubrían. A veces me despertaba en la noche y salía a buscarla. La oscuridad, cruzada solamente por las fogatas que iluminaban las esquinas, a veces me impedía encontrarla rápidamente. En muchas otras ocasiones caminaba largas horas: entonces la veía cruzar alguna calle, su ropa de cama blanca ondeando en la oscuridad, sus brazos cruzados sobre el pecho. Cuando llegaba a ella su piel blanquísima parecía mojada, aunque no de sudor... siempre estaba salada.

Lo sé porque una noche la besé.

Salada.

Y pensé en el mar.

Yo la abrazaba, asustado. Ella no podía hablar. Eventualmente dejó de hablar del todo. No decía nada. Su mirada estaba vacía. Sus ojos fueron torneándose lentamente hasta hacerse redondos y planos. Luego perdió los dientes. No podía comer. Le era difícil respirar. Caminaba con lentitud y perdía el pelo. Sus labios se convirtieron en dos membranas cartilaginosas y redondas.

Y seguía caminando y tosiendo. Tosía en las noches, en el día, en las tardes, en todo momento. Hacía un ruido como de correas atascadas que surgían desde lo más profundo de la garganta. Pensábamos que tenía pulmonía a causa del clima, aunque luego nos convencimos de que no se trataba de enfermedad alguna. Le dábamos el láudano: una receta que encontramos en un diccionario, buscando algo relacionado con calmantes y drogas tranquilizantes. Dormía y luego despertaba: tosía, caminaba, tosía y caminaba. Luego bajábamos a buscar comida. Lo poco que encontraba se lo daba a Galina. Lo que más me dolía era la forma en que me miraba: como si no hubiera nadie frente a ella, como si hubiera perdido la facultad de observar algún objeto específicamente, de enfocar... Su mirada era como la de un animal ciego. Engordó... a pesar de que no comía.

Corrección: no engordó.

Perdió sus curvas... que no es lo mismo. Era como si algún invisible escultor estuviera borrando lo que anteriormente era un cuerpo sinuoso, lleno de recodos, cañones, montañas. Alguien borraba a una mujer. Se estaba convirtiendo en un saco de carne deforme.

No podíamos pensar en nada de manera objetiva... hasta que vi que entre los dedos de sus manos crecía una delgada membrana y, días después, escamas cubriendo su cintura.

Un día. Al mediodía:

—¿Alguna vez has tratado de decir algo debajo del agua, de insultar a alguien debajo del agua?

—No creo... no, le contesté a Conejo, luego le dije: nunca me gustó mucho el agua, ni la playa, ni las piscinas.

Conejo dijo, en tono feliz: ¿Te imaginas? ¡¿Hijo de puta!, debajo del agua? ¿Te imaginas un susurro debajo del agua?

—No, no puedo imaginarlo le digo, mirándolo con algo parecido a la tolerancia.

En este momento pienso que algo parecido sería, en todo caso, el sonido de las ballenas cuando se comunican entre sí.

—Hacer gárgaras y hablar al mismo tiempo es parecido..., esto, en tono condescendiente: No igual, pero parecido.

Miro a Conejo y siento ganas de ponerme de pie y marcharme rápidamente, pero me doy cuenta de que estoy hablando con alguien que no está muy bien de la cabeza.

—Algún día tendremos que hacerlo. Ir al mar, zambullirnos, y luego tratar de hablar debajo del agua. Tratar de susurrar debajo del agua.

—Sería buena idea aunque probablemente pasará mucho tiempo hasta que podamos ir al mar y zambullirnos en él, le dije.

—Sí... pero cuando lo hagamos, replicó Conejo, te voy a decir todos mis secretos. Te los voy a susurrar, debajo del agua... Luego dijo sonriendo ampliamente y con algo de esperanza en la voz: cuando estemos allí, lo sabremos todo, todo.

Un sueño: estoy cerca del mar; es una playa tranquila y el agua fluye suavemente hasta romper en pequeñas olas. Todo está claro y el sol quema.

Luego, de repente, siento que alguien se encuentra a mis espaldas. Rápidamente sube a mis hombros. Asustado trato de darme la vuelta pero no puedo. Siento muchos brazos que acarician mi espalda. Al girar mi cabeza veo que un curioso ser está asomando su cabezota por encima de mi hombro derecho, y me mira con ojos negrísimos y acuosos. Con una cabeza larga y puntiaguda, sus muchos tentáculos lo sostienen sobre mí agarrado en parte de mi cuello y luego, con sus suaves esporas, acariciando mi espalda.

El extraño me mira sostenidamente y hace una mueca que, en ese momento, me parece una sonrisa juguetona, tranquila.

Luego se lanza al agua y se zambulle suavemente, perdiéndose de vista inmediatamente.

Silencio: miro hacia el frente, hacia los lados. También atrás. No veo nada en la superficie.

Entonces me zambullo: todos vienen hacia mí. Debajo del agua escucho un zumbido. Veo, pobremente, hacia el frente, hacia todos lados y contemplo cómo ellos se acercan a mí, como en una oleada de arena y tentáculos entrecruzados. Parecen acercarse uno encima de otro, entrelazándose y levantando un nubarrón arenoso en el agua. Trato de moverme pero no puedo. Ellos vienen de todos lados, parecen surgir del suelo. Veo cómo, lentamente, la nube de arena se acerca a mí. Escucho el chapoteo de los tentáculos rebotando dentro del gran silencio de la playa tranquila.

Lo último que recuerdo ver son las palmeras y luego despierto.

Alguien me dijo: ocurrió hace mucho tiempo y otra vez muy pronto, cuando las bestias regresen tras la tormenta, que la ballena fue y será antes que el Aloés en nuestras aguas.

Como la ballena, al igual que Lucifer, es un dios y no tiene sitio fijo donde posar la planta del pie, el este ha sido y será uno de sus refugios breves.

El batir de sus aletas traseras es heroico.

Y nadie la ha conocido o conocerá.

El Aloés se rinde ante ella y su potencia. Mientras se aparean el macho —vertical, cabeza abajo y gimiendo con consciencia— y la hembra —circunnavegando en parsimonia— ambos miran al Aloés con un ojo, derecho allá, izquierdo allí, vivir su desgracia como si su destino fuera ver su cara de bestia triste reflejada en el espejo de cada luna llena.

Por eso llora el Aloés.

Así como canta la ballena generosa del amor que no se perturba en la profundidad, allá en la oscuridad donde la negrura y las sombras palidecen, nosotros lloramos la resignación de los monstruos menores.

Aquella mañana desperté curiosamente tranquilo. Creo que Junior estaba sentado fumando un cigarrillo fuera de la casa, sobre uno de los pocos automóviles que quedaban. La tarde anterior habíamos quemado a prácticamente toda su familia. Junior me ofreció un cigarrillo aparentemente sin ganas de moverse. Luego vimos a Conejo saludándonos desde la otra esquina del bloque de casas que nos separaba. Conejo sonreía. Comenzaba a oscurecer.

—¿Piensas volver?, me preguntó Junior.

—Eventualmente lo haré... o, lo haremos. Sí, le contesté.

Junior miró hacia el fondo de la calle. Conejo había desaparecido. Entonces me miró a mí:

—Huele a tierra, me dijo.

—Sí, huele a tierra, observé con tranquilidad.

—Parece que va a llover.

Bienvenido, hijo mío, a la Máquina

¿Dónde has estado todos estos años? Te buscamos en los parques, dentro de las redes infinitas debajo de la ciudad. En el cielo. El hombre de las tuberías se mueve lentamente seguido de sus ancianas mujeres que arrastran sus largas faldas. Sus pasos crujen en el suelo de piedras iluminado por el sol gris que se filtra por las redes de hierro. Su cara oculta por la máscara de niño feliz, su joroba roja y adornada con llagas purulentas, sus harapos y su bastón, el movimiento breve de su cabeza, oteando, tratando de olerme, de ubicarme. Me persiguen con sus juguetes viejos y rotos, tratando de seducirme. Esperan que salga a buscar comida, en las noches. A los dioses gracias: caminan lentamente. Vienen desde siempre. No tienen reflejos. No tienen ojos. El hombre de las tuberías es enorme. La red de hierros oxidados que cuelga de su cintura lo hace tropezar y caer de bruces. Sus ancianas lo acarician. Le susurran palabras gentiles. Él las intimida con sus garras, con sus huesos blancos y curtidos por la lluvia. Ellas lloran. A veces gritan mi nombre... todos juntos. A veces siento ganas de dejarme engañar por sus palabras gentiles y por el ruido de los juguetes que arrastran. Por sus promesas de comida. Luego, como despertando de un sopor, me escondo en la profundidad de las alcantarillas. He olvidado lo que hay en la superficie. Mis ojos se han adaptado a la negrura. Mi olfato a la hediondez perpetua. He aprendido a permanecer inmóvil por horas. Ya ni siquiera puedo escuchar el ruido de arriba. Han pasado años desde que vine a vivir aquí abajo, desde que hui por primera vez de mi padre.

Creo que uno de estos días tomaré una decisión. Uno de estos días.

Breve crónica enjundiosamente documentada sobre las monstruosidades que ocasionalmente se encuentran en la profesión de maestro constructor

Sáquenlo de ahí, que está muerto, dijo un haitiano experto en cocinar locrio de arenque cuando el Ninja cayó sobre su costado izquierdo después de que una loza de mármol le dividiera la columna vertebral en cuatro partes desiguales con toda la fuerza que le dio su descenso trece pisos abajo.

O de otra forma el muerto se va a quedar aquí y entonces sí es verdad que nos vamos a joder y no nos salva ni el médico chino, pensó el maestro constructor, pero no dijo ni pío porque entendía que verbalizar semejante impresión era como afirmar que había visto un platillo volador y a sus tripulantes (nadie le creería), o como el cuento del sujeto que, al sufrir tres fuertes coletazos de la vaca que ordeñaba se dispuso a amarrar el rabo del animal con su correa, con lo cual se le cayeran los pantalones. Justo pasaba un vecino que le preguntó, de forma socarrona, qué le sucedía. "Pues nada, que se lo voy a meter a la vaca porque si le digo lo que pasó usted no me lo va a creer", contestó el sujeto.

Aparte del placer que podría provocar el abismo vaginal de la vaca y de los dos promontorios que cinco segundos después nacieron en la espalda del Ninja justo donde su columna vertebral se deshizo en pequeños huesos desarticulados como si fuera una vaina de habichuelas abierta, el muerto se quedó en la construcción porque como era de esperarse nadie movió el cuerpo a tiempo.

"Todo lo que uno hace, o no hace, trae consecuencias", pensó el maestro constructor meses después recordando el incidente y ponderando los eventos que luego de que la loza de mármol dividiera en cinco la espalda de un hombre supuestamente malvado se produjeron cuando el edificio estaba al tris de ser inaugurado. Causa y efecto... un muerto en un edificio.

¡A eso se llama vicios de construcción!

¿Imagina usted un sistema sanitario (o el organismo de un edificio, dijo describiendo o como le gustaba llamarlo al Ingeniero Honorífico que se inventó construir un edificio rodeado de casas, porque en realidad para él la ingeniería era lo que a un pollo es la televisión por cable, en tono sublime) lleno de gente? No, ¿verdad?

¿Imagina usted un sistema sanitario poblado por el espíritu de un trabajador de la construcción conocido por su crueldad? ¿Un espíritu maligno que vive en los intestinos de un edificio?

Intestinos, ciertamente. ¡Pero lujosos, eso sí!

Una pregunta trae una respuesta.

La pregunta la hizo un tipo "con talentos", como le llamaba el dueño del edificio (Ingeniero Honorífico) al misterioso que trajo una mañana obedeciendo a las demandas y comentarios alarmados de los trabajadores y al eco de los mismos en el maestro constructor (nombrado oficial e histéricamente vocero parapsicológico de la construcción) y el hasta dos días antes incrédulo ingeniero de la obra (el obrero con camisa cara que se ocupa de dar latigazos a diestra y siniestra, es decir), ahora ferviente defensor de la teoría que rezaba que en el edificio vivía el malévolo espíritu del Ninja (en el sistema sanitario, para ser exactos), cuyo cuerpo yacía enterrado seis pies bajo tierra en el Cementerio Cristo Redentor.

La respuesta la dio el dueño del edificio (Ingeniero Honorífico).

"¿Y cómo coño se muda el espíritu de un maldito negro albañil al interior del organismo de un edificio?"

El problema era que ni el tipo "con talentos" ni el dueño del edificio (ni ninguno de los presentes) se imaginaban a lo que se estaban enfrentando.

Lo primero que Wendy escuchó fue el portazo. Luego los pasos del maestro dirigiéndose hacia el baño a lavarse las manos, como hacía todos los días. Wendy dejó el lavado de los platos, se levantó las faldas, se quitó los panties, y se sentó al borde de la mesa del comedor para mayor comodidad y el logro de una mejor y más suave penetración de parte de la hombría del maestro constructor, sus pies apoyados sobre dos sillas.

Entonces esperó, como hacía todos los días…

El maestro entró a la cocina y la miró fijamente por dos minutos, tiempo que le tomaba conseguir una potente erección, para luego embestirla por otros tres minutos con la violencia de quien rompe una pared con una mandarria.

Luego de eyacular el maestro le envolvió el rostro con sus gruesos y ásperos dedos enguantados de cayos.

Como hacía todos los días, le preguntó dónde estaba su cena.

Ella le contestó que le iba a preparar puré de papas con queso frito.

Él se subió los pantalones y dijo que iba a bañarse, que tenía calor.

Mientras el maestro caminaba hacia el baño, ella le preguntó qué había de nuevo. Él contestó que lo único nuevo que había pasado era que ahora un muerto se había mudado a las tuberías del maldito edificio y que tenía a todos los trabajadores en zozobra.

Wendy no hizo ningún comentario.

No está de más decir que Wendy era una mujer hermosa y que el maestro se preguntaba en ocasiones cómo era que se estaba comiendo semejante bizcochito, con aquellas nalguitas redonditas con forma de corazón al revés, aquellas teticas como manguitos pequeños y tiernos, aunque como mujer no pudiera darle hijos.

El primero que se tiró el muerto que vivía en las tuberías del sistema sanitario del edificio fue al asistente del maestro constructor. El tipo era nuevo en el trabajo, ni siquiera había cumplido una quincena. Su nombre era José Gregorio Alcántara y era hijo de un sargento de la policía nacional que pesaba cuatrocientas libras. Antes de ser su asistente había trabajado como supervisor del turno de noche de la fábrica de perros que había causado tantas controversias meses antes aunque no en lo concerniente a si un perro fabricado por la mano del hombre era una afrenta a la humanidad o no, sino porque a los pocos meses de su institución la comunidad circundante de la periferia de la fábrica tuvo que desarrollar un éxodo masivo a causa de los alaridos ensordecedores que se producían dentro de la fábrica durante las noches.

Nadie dormía.

"¿Ha escuchado usted cien mil perros aullando al mismo tiempo?", le contestó JGA al maestro constructor cuando le preguntó cuáles eran las razones por las cuales había renunciado de su trabajo anterior.

La mañana de su muerte JGA llegó temprano se sentó a leer el periódico en la silla del jefe. A los pocos minutos se puso de pie, bajó las escaleras que daban a lo que sería el parqueo del edificio, atravesó el primer nivel y se dirigió hacia el área de servicios. Su caída en el interior de la cisterna fue limpia y la creatividad de la tropa de trabajadores floreció explosiva ante tal ocurrencia: que tenía problemas familiares, que su esposa le era infiel, que consumía drogas desde temprano en la mañana hasta entrada la madrugada. Lo cierto es que nadie imaginaba a qué se debía que su cuerpo estuviera, una vez fuera de la cisterna, arropado de una membrana verde parecida al moho y que, a diferencia de este, se deslizaba cuando alguien la tocaba, replegándose sobre sí misma, hacia sí misma, como rehuyendo cualquier contacto que no fuera con la piel muerta del asistente del maestro constructor.

Una membrana verde y viva.

Se ha dicho que el Ninja era malvado y se ha sugerido que, después de su muerte su espíritu igualmente malvado se mudó... ¡bueh!

El caso es que luego de las nueve muertes que acaecieron antes de la inauguración oficial del edificio los datos recopilados de manera exhaustiva a través de la aplicación del método científico de investigación, complementado por técnicas innovadoras en el levantamiento de huellas, muestras, rastros, y un extenso catálogo de pruebas que gracias a una lectura enjundiosa de un sinfín de páginas de Internet dedicadas al tema, revelan que las razones tanto para la injustificada inclinación del Ninja hacia el lado oscuro como para su muerte son las siguientes (en el orden en que fueron mencionadas):

1. El Ninja no era realmente un hombre malvado.

2. La razón esencial de su muerte es que el Ninja en realidad se encontraba poseído por una larva gigantesca de un Tisanuro Lepisma (insecto acuático "con aparato bucal masticador que se alimenta –usualmente— de vegetales y también ataca la ropa, los libros, las galletas, y luego de las investigaciones sobre el incremento de su tamaño a niveles insospechados y su entrenamiento para ser herramientas de purga social, la gente", de acuerdo con las descripciones archivadas y clasificadas como "secretos de máximo nivel" en la bóveda del Banco Central) el cual posee ojos compuestos, largas antenas articuladas y tres filamentos en el extremo abdominal (en el primer caso, las antenas fueron sustituidas por dos

largas cuchillas, y en el segundo seis largas piernas para saltos a distancia y habilitados para escalar elevaciones de cualquier tipo).

Su cuerpo se encuentra recubierto por pequeñas escamas de aspecto plateado.

3. El Ninja fue descrito por familiares, amigos y compañeros de trabajo (estos últimos al paso del tiempo y admitiendo su error al condenar a un amigo muerto) como un hombre probo, trabajador, disciplinado, nada mezquino, no dado a vicios mundanos y, en fin, el ya conocido e interminable catálogo de bondadosos adjetivos con que se honra hasta a un dictador o un asesino en serie al momento en que se les ocurra morirse (dada la subjetividad de este acápite no ha de ser tomado en consideración por el lector que busca ilustrarse de manera objetiva con respecto a los eventos aquí narrados).

4. Se ha comprobado que el compañero de labores que dejó caer la loza de mármol que destrozó de manera definitiva la espalda del Ninja, enviándolo al más acá, al interior de las tuberías del sistema sanitario del edificio, fue un agente enviado de manera expresa en una misión de exterminio, el cual se mantuvo encubierto hasta justamente dos semanas después de la inauguración del edificio.

El agente era, en realidad, un cyborg uruguayo del Conglomerado Alimentario Franco-Alemán, una empresa multinacional que posaba como grupo comercializador de más de quince líneas de productos alimenticios, pero en realidad una gestión dedicada al exterminio sistemático de los enemigos del régimen kataugo, quienes usaban sus larvas y los telares membranosos para insertar sus organismos de captación de nuevos acólitos en nuestro país.

El agente fue exterminado de la manera más simple luego de la eficiente recopilación de información y pistas en el sitio del crimen. La táctica de exterminio favorita de los agentes del CAFA (un método prohibido en los manuales de operaciones de la compañía porque, siempre, tiene como consecuencias el arresto o asesinato del agente, lo cual representa cuantiosos gastos para la empresa en entrenamiento, logística, viajes y alimentación) era dejar caer lozas de mármol sobre sus objetivos, preferiblemente sobre sus espaldas o cabezas.

Este indicador fue lo que permitió que el agente fuera cercado por un grupo de Tisanuros mientras almorzaba metal desechado en los alrededores de un vertedero de basura en las afueras de la ciudad (plato favorito de los agentes del CAFA).

Los Tisanuros lo rodearon y comenzaron gritarle los más indecentes insultos e improperios que eran capaces de concebir, para lo cual fueron entrenados.

Los agentes del CAFA morían la peor muerte cuando eran insultados: se deprimían, la tristeza los iba desmembrando poco a poco hasta que desaparecían completamente.

El espíritu del Ninja se mudó a las tuberías para colocar las antenas de transmisión que emitirían los mensajes que hipnotizarían a todos los trabajadores del edificio convirtiéndolos en agentes de las Larvas de los Tisanuros.

Los trabajadores se percataron de la situación a través de la lectura de un anuncio titulado "URGENTE CODIGO BIOMASA" publicado en los clasificados de un diario local.

Todos murieron ahogados, excepto el maestro constructor y el ingeniero de obras porque ambos decidieron vivir poseídos antes que morir hartos de una gelatina verde y viva que consume todo sobre lo que se posa. Dos años después de estos eventos Wendy, la esposa del maestro constructor, pudo concebir y luego traer al mundo a un hermoso Tisanuro Lepisma que años después se convertiría, para orgullo de sus padres, en un eficiente agente del Banco Central.

El ingeniero de obras no pudo ser ganador de esos importantes puntos en sus archivos del BC porque no tenía esposa.

El tipo era maricón.

Cinco años después, cuando su índice de eficiencia y rendimiento bajó fue asesinado por una carta llena de alaridos de perros fabricados en la planta establecida en las afueras de la ciudad, donde había trabajado el asistente del maestro constructor.

La investigación sobre los detalles de este interesante y revelador incidente continúa arrojando luces sobre el mismo.

Al cierre de la redacción de este reporte no se ha producido hallazgo alguno referente a la procedencia o los objetivos del agente exterminado en principio por el espíritu del Ninja, quien vivía en el cuerpo del asistente del maestro constructor, ni sobre las potenciales consecuencias de sus actos, de ser concretados. Esperen nuevos reportes.

El Paraíso
es un bar "cool"...
¿Me has abandonado?

Piensa en la música me dice el sujeto a mi lado. Piensa en cómo se encumbra y fluye entre todos nosotros. Luego habla de poder ver los detalles en el mundo, en un mundo tan grande. Dice que quizás Judas fue el mejor hombre. Dice que la gente le atribuye la descripción de muchas cosas reveladoras y profundas, y que no se supone cuestionemos la palabra esclavizante de los hombres. Cuando hablaba parecía un policía y le decía "hermano" a su interlocutor constantemente, como en un rezo, en una letanía. Ahora me encuentro sorbiendo un 'gimlet' mal preparado. El mundo parecería, desde el lugar en el que me encuentro sentado, una gran cosa, pero el sujeto que parece policía y que llama hermano a sus interlocutores constantemente dice que en realidad es un amasijo de cosas, y que cada uno tiene su parte, que cada uno tiene que hacer lo que tiene que hacer. No entiendo una palabra. Tengo ganas de hablar tonterías, pendejadas, de que no me importe lo que nadie diga. Nadie puede cuestionar eso. Es una realidad. ¿Sabes tú lo que es una realidad? Le contesto que ¿por qué es importante saber lo que es una realidad? No me contestes con otra pregunta. Mejor condéname. Porque para ser el peor de los hombres hay que ser el peor de los hombres. Tiene que haber una ausencia de bondad total, irreversible, para que la maldad tome lugar. Este sitio está bien. Me gusta.

Le digo que el sitio me gusta a mí también. Que siempre vengo a tomar gimlets, aunque no sé qué ha ocurrido hoy. Demasiado jugo de limón. Mucha azúcar. El tipo no contó hasta siete, dice él. Sé de cócteles. Una vez tuve un trabajo preparando cócteles. Tuve que renunciar porque tenía problemas con las mezclas. Siempre me pasaba. Siempre complacía a los clientes. Veo a la mujer dirigirse hacia nosotros. Nos quedamos en silencio. Ella pasa. Se contonea. Nos mira brevemente. Sigue... Muslos, cadera, nalgas. Siento como me rechinan los dientes. El tipo que parece policía y que llama hermano a sus interlocutores constantemente me mira enarcando las cejas, luego mira las nalgas de la mujer, quien se ha detenido a unos pasos de nosotros. Coloca sus codos en el bar. Me mira. No entiendo dice. Pídame una de esas bebidas que está usted tomando. Luego vino un largo silencio. ¿A que no adivinas lo que dijo Pablo cuando vio la luz cegadora en el desierto?, me pregunta. Creo que lo leí le miento. Pero no recuerdo. Dijo, dice él, ¡coño! ¡coño! ¡coño!. Le digo que no recuerdo haber leído eso. Pero él dice que lo que sucedió, realmente, es que quien lo escribió sentía reparos de describir las cosas como eran. ¿Es posible? le pregunto, ¿escribir de esa forma? Él dice que sí, pero no le creo. Luego hablamos de historia, de lo cual no sé un coño. Mi sentimiento podría ser descrito así: al igual que aquella canción, al escuchar el murmullo lejano de los trenes subterráneos pienso en truenos distantes; me siento como si viviera en una casa llena de personas sin poder recordar sus nombres. Cierto, este lugar, este bar, mi casa... ¡tanta gente!, y ni siquiera sé sus nombres. Tantas personas en mi casa y ni siquiera se sus nombres. Así es como me siento. Esto, claro está, es solo un sentimiento. Un sentimiento, creo yo... simplemente. Es todo tan suave que casi los puedo escuchar respirar —es como si hubiera una delgada membrana, una fina película, sobre mis ojos. Puedo escuchar mi corazón latir, mientras veo a los extraños en mi casa y en este bar. Puedo emparentarlos, empatarlos, juntarlos con el ritmo de los trenes subterráneos a lo lejos. ¿Comprende este tipo como me siento? Me imagino que lo que siento no es más que un sentimiento, nada importante o trascendente. Lo que piensas es absurdo dice él. De repente lo veo llevarse su gimlet a la boca. Agarra el vaso de forma extraña y lo acerca a sus labios delgados. Agarra el vaso con las yemas de los dedos. Forma un arco con sus dedos y los cierra sobre el vaso. El tipo es raro. Me siento raro dice él. Me duelen los pies. Debe ser el frío. Hace frío. Me duelen los huesos de los pies, como si estuvieran rotos debajo de la piel. Por mi parte no me puedo quejar. La persona a quien quiero está lejos y, en este momento, no puedo ser su estrella. Por mi parte pienso que es extraño el que la gente sea lo suficientemente fuerte como para poder convertirse en algo que realmente valga la pena. Nadie cambia a nadie. Es mejor dejarlos hacer. Dejarlos hacer lo que quieran. De todas formas siempre lo hacen. A veces escucho a la gente y me da miedo. Es curioso que nunca podamos sentirnos bien. Luego la banda comienza a tocar, y entonces todo el mundo se aleja, tontamente. Se alejan, reflexiono, desde un punto de vista estrictamente moral. La mujer se acerca a nosotros, lentamente. Es muy hermosa, y mi amigo se da cuenta, al igual que yo, de que su escote es prácticamente impúdico, que sus sinuosas curvas son el objeto de admiración de todos los que nos rodean en la barra. Y sin embargo, ¡qué lejos estamos unos de los otros! El otro día dijiste algo que no me gustó. Creo que inclusive lloré por lo que dijiste, dice ella. Y, ¿qué dije, si se puede saber? La mujer, a continuación, me ha propinado un sonoro bofetón. Señorita cálmese dice mi amigo policía. Olvídalo, dice ella. Me mira, diría yo, hasta con piedad, como si fuera un leproso que gana dinero con sus miembros infestados, podridos. Siempre he tratado de parecer educado: digo parecer porque creo que es importante en momentos como este. Además, cuando se escucha jazz de un conjunto comprendido por un contrabajo, una batería, un piano, saxofón, y un importante e inusual elemento, el xilófono, es de gran relevancia complementar este fenómeno con una irredenta educación. Recuerdo que antes te morías por besarme pero nunca lo admitiste —aventuré, sin dejar de sentirme algo triste. Ella afirma, bajo la mirada extrañada de mi acompañante, que es cierto, que disfrutaba mirarme escuchar música, observarme jugar con los tonos y las melodías. Pero nunca supe donde comenzar explica. Bien, bien, digo yo... ¡Brindemos!, dice mi amigo en tono entusiasta, pero ya no tengo ganas de seguir tomando estos mediocres gimlets que preparan en el bar. ¿Me permite usted bailar? dice mi amigo a la mujer. Ella me mira, mientras la música fluye suavemente en la parte de atrás. Coqueta (¡que palabra tan fea!) asiente. Luego bailan. Interminablemente. Cinco minutos, en total. Al regresar mi amigo apenas puede caminar... por su problema de los pies. Ella mantiene su porte. Nunca comprendí cómo podías moverte de esa forma, le digo, como haciendo una casual observación. Es el trato de la conquista, me dice ella, y luego, como ripostando una inaudible e insultante afirmación, dice violentamente que no es que ella se comportara de alguna manera especial hacia mi persona. Soy así con todos... Me imagino que sí, digo, agotando mi turno. Si no es molestia, quisiera ordenar otra bebida... ¿quisiera usted algo de tomar? dice mi amigo a la mujer. No gracias, ha llegado mi acompañante. Debo marcharme. Genial verlos a ambos. Me mira con algo que parece intensidad. Levanto la mano. Adiós. Ella se marcha, perdiéndose entre la gente. ¿Qué piensas de ella?, me dice mi amigo. No sé qué pensar. La gente pierde tiempo y no se da cuenta. El asiente. Entonces me doy cuenta de que, en realidad, estoy hablando con un extraño, de que el sujeto que llama constantemente hermano a su interlocutor es un extraño para mí; es decir, he estado hablando tonterías con este extraño, quien ahora me conoce bastante bien. Al final, me dice que tiene que marcharse. Camino junto a él hacia la salida, lo que antes fue la entrada. Una salida, o entrada, muy ancha. Salimos al frío. Hacía mucho frío. El policía me repite que sus pies le causan un dolor tremendo, inaguantable. Nos despedimos. El me abrazó. Una vez ayudé a un ciego, me dice. Caminó unos pasos hacia la calle. Había un automóvil esperándolo. Una gran limusina brillante, negra, enorme. Subió, y se marchó. Mientras veo el automóvil alejarse, alguien toca mi hombro. Al girar veo a un hombre vestido con un abrigo de cuero, camisa blanca, zapatos también de cuero.

El tipo me pregunta: ¿puede usted salvarme?

El Relieve

La niña mira al vacío...

Todo se ha ensanchado en un abrir y cerrar de ojos, en un breve parpadeo; o bien, eso parece. Su nariz breve, punteada, se expande hacia ambos lados de su cara, ocupando parte de sus pómulos. Su boca, regularmente un tanto estrecha, que se abre en ocasiones en estremecedoras y seductoras sonrisas, se parte en un prácticamente enmohecido manojo de carnes descoloridas. La piel es prácticamente arenosa. Sabe que ha dormido mucho, sabe que ha tenido innúmeras pesadillas en las que una niña, sentada cómodamente en un pequeño montículo de arena, contempla el mar azul bajo el sol: Luego ve, como suspendida por los aires, una mesa negra iluminada tenuemente en la que se encuentran una cigarrillera, dos corbatas, unos gemelos, un reloj de pulsera, medias tejidas sucias, un encendedor.... La mortifica particularmente el hecho de que no ve la cara de la niña, de que la misma se presenta en la totalidad de su menudo cuerpo, y aun así le da la espalda, y un sentimiento de propiedad hacia aquellos objetos desplegados frente a sus ojos.

Lo primero que ve es la lámpara en una pequeña mesa al lado izquierdo de la cama, encendida. Sus párpados van poco a poco formando el campo visual, bajo la maraña de un sueño inquieto, todavía no están acostumbrados. No distingue bien los objetos. Su cabeza no reconoce la extensión de sus miembros. Apenas puede mover los dedos.

Se llama Julia... y esta noche se siente devastada.

Y disfruta de forma especial el sonido violento de su nombre: Recuerda, mientras se da la vuelta en la cama, mientras su cuerpo se convierte en una larga serpentina desperezada, mientras contempla la curva de su cadera levantarse perfilada por su seno derecho, mirando hacia abajo, cabeza apoyada en su mano, como de niña permanecía en silencio cuando alguno de los mayores la llamaba por su nombre. ¡Julia! —le decían, impacientándose por su desobediencia, por su indolencia. Y ella, mientras tanto, se retorcía de placer. Sentía sus entrañas revolverse. Sentía que la cabeza le daba vueltas. Se quedaba en silencio, como suspendida, muy quieta, sin siquiera pestañear. ¡Julia! —le volvían a gritar. ¡Julia!, varias veces, hasta que venían uno, dos, tres golpes de impaciencia; y ella comenzaba a sentirse poderosa.

Primero mueve los dedos del pie derecho. Contempla sus muslos, fuertes, de carnes firmes: Una larga curvatura musculosa y suave que se alza en un breve montículo, en aquella posición, para luego descender y encresparse de nuevo, como dos dunas que, aun siendo gemelas, son diferentes en sus respectivos tamaños: una es más pequeña que la otra (quizá, inclusive, como una candorosa repetición, como un espacio copiado con toda premeditación; y, sin miedo a adoptar posiciones extremistas, dos brisas similares, en diferentes estaciones...), terminando en la pequeña colina de su tobillo. Vuelve a los dedos: Uñas pintadas de rojo... dedillos firmes, regordetes, limpios, rosados. El pelo: Una masa brillante, descolorida, y aun así, bien cuidado. Baja con cierta firmeza por sus hombros, cubre parte de su rostro en forma de rombo, y se arremolina en las puntas. Hay dos crestas en sus pechos que proporcionan un balance caduco a su volumen. Parece estar a punto de caer, al borde de un abismo. No es delgada, más bien rolliza, firme, pesada, hay cierta fortaleza en su porte, cierta determinación en sus formas. Julia es una mujer definitiva, que no piensa, que sencillamente actúa en consecuencia... Una mujer perseguida, huidiza, maestra de la conversación sin sentido, conocedora de todas las esquinas de un cuarto redondo.

La niña levanta algo de arena con los pequeños dedos de sus pies. Trata de mirar al sol de frente, pero no lo logra.

La cama, colocada en la misma dirección —si el cuarto, de hecho, se encuentra apuntando hacia algún punto cardinal en específico— que la habitación, de alguna forma misteriosa, se encuentra desordenada en la parte central, lo que conforma un ovillo de piel y tela donde Julia descansa, de manera que las esquinas aparecen impecables. Siempre duerme como si se desmayara. Su brazo derecho se desliza por su cadera, y los dedos de sus manos al final, como examinando aquella puntiaguda esquina de su cuerpo. Su mano izquierda baja, la cabeza cae encima de la almohada, y toda la extensión de su cuerpo, piernas, los brazos, se revuelve hacia abajo, para quedar prácticamente de cara hacia la cama.

Piensa en levantarse.

Piensa en permanecer solo un rato más acostada.

Se decide: Al tocar el suelo, los dedos de sus pies parecen hacer un mohín. Camina tranquilamente hacia el baño. Se detiene: Ve una pintura colgada en la pared. La ha visto muchas veces. Cuando alquiló el estudio ya se encontraba ahí. Son dos caballos que galopaban a todo lo largo de una playa, en un claro atardecer. Las olas rompen a su paso... El sudor —y la luz del sol que se alejaba— los marcan con brillantes manchas resplandecientes. Las crines se levantaban al viento. Dos grandes caballos agitados, vigorosos. Al ver la pintura, Julia piensa que no es de muy buena calidad. En el mejor de los casos, hecha por algún principiante. O, peor aún, alguna litografía barata, comprada con la urgencia del no-profesional para adornar una pared vacía. Los ojos de los equinos parecen vacíos, huecos, dos conchas negras incrustadas en dos largos rostros. Aparece la niña. Es una nueva figura, quizá más claramente distinguible, comparada con la niña anterior. Parece que sus contornos se han alargado, tienen más terminación, son más decisivos. El mar, más allá, es de un azul fuerte, voluminoso, contrasta con el pequeño suéter a rayas de la niña, sentada en la playa. Julia trata de observar con más tranquilidad aquella imagen clavada en su memoria, pero no puede, parece no tener fuerzas para sostener la mirada en la breve espalda de la infante. Ella no voltea. Luego desaparece.

En algún momento del mes, quizá del año, Julia cambiará el cuadro de los dos caballos corriendo en la playa.

Continúa caminando. El baño es blanco, con pequeñas losetas de un azul muy claro. Detrás de la puerta hay una correa de hombre, del número 36. Luego de lavarse la cara, Julia se dirige hacia la pequeña sala en la parte delantera del estudio. Justamente debajo de la puerta, hay una pequeña hoja de papel. La levanta, y la pone a la luz de una lámpara.

El texto que contiene se encuentra en el libro *Las Geórgicas*, De Claude Simon:

> "Y con ella fue como si todo cuanto subsistía aún de un pasado confuso, de un fragmento vivo de Historia (Aún en la memoria insegura de un cerebro envejecido) hubiese sido borrado, abolido...

Y más adelante:

> "... el camino que habéis recorrido se ha ido hundiendo según avanzabais; hay que vencer todos los obstáculos o morir de fatiga..."

¡Morir de fatiga!

Recuerda los caballos —y se pregunta quien habría puesto aquella hoja de papel garrapateado allí, precisamente con aquella cita de Claude Simon. Sus pensamientos eran áridos, si algo, en realidad, tenían de importantes.

Se encamina, una vez más, hacia el baño, para preparar el rito que antecede, siempre, el cáustico acontecer que sería su noche... La noche de Julia.

Entonces vinieron los zarpazos: Trece en total. Aquella es su marca. Trece zarpazos que cruzan su carne, la carne de su espalda, muy suave y tersa; aquella que fue, en un tiempo lejano, el blanco de todos los golpes que le infligieron sus familiares. En aquel momento todo está permitido. Ya nada importa, o bien eso siente Julia, mientras levanta la ondulante correa (una serpiente negra en la lechosa atmósfera del baño) y la lanza hacia atrás, hasta que siente el escozor recorriendo su espina dorsal, alojándose en sus caderas, coloreando su carne de un rojo intenso, mortal... Trece golpes que constituyen una rutina que se verifica con cierta cadencia espasmódica. Trece golpes que toman una eternidad para terminar, trece levantamientos que encierran, en aquella curva perenne, toda su vida, toda su historia. Le parece ver a la niña que se levanta desde el pequeño montículo de arena, y la mira a los ojos. No solamente se reconoce a sí misma en su cara, sino que contempla, mientras los golpes se lo permiten, la cara renovada que exhibe aquel pequeño ser, aquella pequeña y reducida versión de su propio cuerpo. Lo más importante son sus ojos: ¡Dos pequeños puntos negros, iguales a los de los dos caballos!

Un mareo extático... Algunos tropezones.

Cae de bruces en la cama, acariciando sus senos turgentes, sintiendo el roce de su propia lengua entre sus labios y sus dientes, recorriendo lentamente su paladar, apretando intensamente sus pezones, para luego recorrer, con ambas manos, su entrepierna, sus muslos, sus caderas, apretando la almohada en la entrepierna, fuertemente, ejecutando una danza que, exactamente como ya sabía, la llevaría a la muerte cualquier día. La llevaría a morir de fatiga... Se pone en pie, quizá maloliente. Un largo baño de agua caliente la deja relajada, casi temblorosa. Cuando logra levantarse de la cama, se dedica a seleccionar su atuendo para la noche. Abrió el armario, y saca una de las tantas camisas azul claro que tiene. Toma dos gemelos del tocador, y los coloca junto a la manga derecha de la camisa, la que descansa sobre la cama. Se decide por un traje de franela gris que pertenecía al pequeño corro que ella, orgullosamente, había fundado desde sus tiempos de colegiala, desde los tiempos en que iba a la playa todos los fines de semana, a contemplar el mar. Desempolva un par de zapatos negros. Medias negras, como siempre.

Y se viste.

Al mirarse en el espejo, lista para salir, ve una mujer hermosa y de cuerpo atlético que tiene la mirada triste de un caballo al que van a sacrificar —y, aun así, sin parecer animal. Los gemelos le están un tanto apretados, pero pasarían perfectamente, contrario a los zapatos, los cuales flotan un poco sobre todo en las puntas. Sus puños estaban encogidos, el traje le quedaba perfectamente. Su cabello, abundante en otros momentos, es una fina trenza que baja prácticamente hasta su cintura. La corbata roja, adornada con pequeñas amebas amarillas, cubre la hebilla de la correa: Ajusta el nudo, dejándolo exactamente en el medio del cuello de la camisa, y se arregla los calzoncillos.

Julia se permite una sonrisa, mientras algunas imágenes pasan por su cabeza, a paso trepidante:

Monedas que vuelan por los aires.

Dos palmeras torcidas que se doblan ante la fuerza del tiempo.

Hombres que hacen fuertes ejercicios físicos y que, todavía, conservan cierta flaccidez en sus miembros.

Muchos cuerpos hermosos.

Voces entrecortadas.... aire caliente.

Y árboles solitarios en llanuras desérticas.

Ya no se siente devastada. No se siente fatigada. Sería una buena noche. Se dice que la va a disfrutar al máximo. La niña que miraba al mar, con el suéter a rayas, se ha levantado, y se ha marchado.

El suelo en la Zona Colonial

Me voy a suicidar porque soy un suicida. Me lo dijo mi médico. Un psicólogo muy bueno... y me voy a suicidar, dice el borracho al sujeto que le ha servido más de diecisiete cubas libres en Parada 77 de 11 de la noche a 3:48 de la madrugada.

Es sábado.

Hace frío... pero hay cosas más raras que el frío.

El sujeto que le ha servido los tragos al borracho lo mira como miran los ladrillos. El borracho entiende que el sujeto está concentrado en sus declaraciones. Que le tiene piedad. Que hay empatía entre ambos. Que al final de todo el tipo está utilizando algún lenguaje secreto, un código misterioso, para convencerlo de no suicidarse.

El sujeto le pregunta al borracho qué dijo.

El borracho contesta: te he dicho que me voy a suicidar. Hoy. Cuando salga de aquí.

El sujeto: ¿qué vas a hacer qué?

El borracho: ¡soy un suicida! ¡Me voy a matar!

El borracho era contador público autorizado y laboraba en el Museo del Hombre Dominicano (meses después de su muerte trascendió que el borracho, de hecho, era el administrador de la institución).

El interior del bar es oscuro pero todo lo destilado brilla como el oro allí. El sujeto detrás del bar le grita al borracho que espere y destapa dos Presidentes pequeñas y las entrega a una mano varonil y arreglada.

Alguien dice "gracias" con fragilidad. Como un susurro gritado. Un gemido que sólo los que se queman en el infierno pueden escuchar.

El sujeto asiente. Su mirada se posa sobre el borracho, quien ahora sonríe.

"Tómate una cerveza conmigo", le invita el borracho al sujeto. El sujeto, inclinado sobre el bar, niega con la cabeza con estoicismo, ya acostumbrado a este tipo de ofrecimientos. Se endereza y responde: "gracias pero no bebo, no me gusta".

El borracho: ¿cómo es posible? Pero, si yo te invito. Hoy es mi último día.

El sujeto: ¿tú qué?

Borracho: mi último día.

Sujeto: ¿último día, cómo último día?

Borracho: me voy a suicidar nada más salga de aquí.

El sujeto mira al borracho francamente divertido. Inclinándose nuevamente le pregunta por qué razón piensa suicidarse.

Borracho: porque... ¡mierda! ¿Cuántas veces te lo voy a decir?

El sujeto suelta una carcajada. ¡Ja! Tres, o seis o diez rostros enajenados miran al borracho y al sujeto. El borracho se balancea mientras toma un largo trago de su Cuba libre. El fondo del vaso golpea la superficie del bar haciendo un ruido seco. El ron, la Coca Cola y el hielo suben, luego bajan, como cansados.

El borracho demanda otro trago, señalando el interior del vaso con el dedo índice. El sujeto detrás del bar le informa que todavía no ha terminado su trago. "Quedan tres dedos de ron y Coca Cola", le dice, señalando el vaso con su dedo índice de tipo sobrio que está detrás del bar.

El borracho estalla: ¿y quién coño te crees tú para decirme a mi esa mierda? ¿Quién te crees tú que soy yo? ¿Uno de estos mariconcitos que vienen aquí a buscársela?

Sujeto: hermano mire, no se me ponga necio para que llevemos la fiesta en paz.

Borracho: ¿tú quieres tener problemas conmigo?

Sujeto: no, mi amigo, nunca jamás.

El borracho se pone de pie a duras penas. Saca su cartera del bolsillo trasero de su pantalón. Del interior de la cartera saca una papeleta de RD$ 2,000 y se la tira al sujeto hecha una pelotita arrugada. La pelotita arrugada le da en el pecho al sujeto sobrio al que, además, no le gusta beber, y cae sobre la tapa de la nevera debajo de la meseta del bar.

El sujeto observa al borracho mientras este sale de Parada 77 dando traspiés, empujando comensales, echando maldiciones, cagándose en el Diablo, mandando a la mierda a todas las mujeres hijas de la gran puta, cueros, mariconas, a los políticos y los corruptos y a la Iglesia y a la hermana del Diablo y a todos los limpiasacos que deberían morir mamándoselo a Drácula.

Dos cuadras hacia el sur, mascullando palabras rotas sobre la inmundicia que es estar vivo, el borracho gira hacia la derecha, yendo de Isabel la Católica hacia el oeste, por la calle Luperón.

Al cruzar la calle el borracho trastabilla, se endereza y luego resbala. El borracho cae de cabeza, sus reflejos entumecidos de tal forma que no atina a protegerse con las manos.

El filo de la acera lo detiene.

Ni siquiera tiene tiempo para vomitar.

El borracho suicida medía seis pies dos pulgadas. Los más grandes, dicen, se dan más duro al caer... otra cosa que también dicen es que el suelo de la Zona Colonial es más duro que cualquier otro suelo de cualquier otra zona de Santo Domingo, el del Museo del Hombre Dominicano, por ejemplo.

En este lado del río, detrás de los arbustos

El cliente de la cafetería, agazapado sobre la mesa, mirando a los lados para ver si alguien lo observaba, se llevó la taza a la boca, saboreó lentamente el café, sintió como bajaba por su garganta, asentándose en su estómago. Esperó el retortijón, como si una suerte de cangrejo se alojara en sus vísceras, alguna bestia misteriosa descansando dentro de él, para recomenzar la tortura cada mañana, luego de un nuevo trajín nocturno. Siempre, luego del pequeño ataque de acidez tenía que recostarse en la cama hasta que pasara, a los pocos minutos. Aquella era su rutina de vida yugulada, sin norte. Y siempre era el mismo banco, en la misma barra, de la misma cafetería, donde tomaba el mismo desayuno día por día, hasta que le tocara el turno de volver a la ciudad, no bien terminara de vender toda la existencia que llevaba. Obedeciendo a un plan en el cual tomaban parte el hombre del traje mil rayas, el empleado de la barra, y la encargada del hotel, en una conflagración que le hacía volver, mes por mes, impidiendo cualquier cambio, convirtiéndose en el único cómplice que, con el fin de exterminar deportivamente al sujeto determinado, no podía dejar de regresar al campo de batalla. Parecía que Julián, un respetable vendedor, se encaminara hacia su más completa y total destrucción.

Aquella mañana su lengua estaba seca, su cabeza pesaba más que su cuerpo, y una nudosa acidez subía desde su estómago, tomando sus manos, sus ojos, su boca, y parecía deslizarse por entre los muebles de la habitación. Aquel punto de sangre seca rodeado del moretón de diferentes tonalidades, que se iba haciendo más oscuro, ensanchándose, era más grande, en la mañana. Según recordaba, lo de la noche anterior había sido largo y placentero.

—No entiendo como he podido olvidar que hoy es el día. No me hubiera imaginado que podía olvidarme de una cosa así. No entiendo... —dijo el hombre que llenaba un traje mil rayas abultado, sentado a la derecha de Julián, quien todavía esperaba que el café subiera por su esófago, para luego tener que subir rápidamente las escaleras, hacia su habitación, donde tendría que permanecer acostado por lo menos quince minutos, e ingerir medio frasco de píldoras para la acidez. Mientras tanto, se dedicó a contemplar los rombos coloreados de su corbata, y se asombró, como tantas otras veces, del mal gusto que exhibía su mujer, cuando se empeñaba en comprarle alguna prenda de vestir. — Bonita corbata, —le comentó el hombre. Julián volteó, y aquel lo miraba divertido, una mueca dibujada en su cara. —Bonita corbata, —repitió. Sintió ganas de preguntarle al hombre del traje mil rayas si realmente le gustaba su corbata, mirándolo quedamente, sin ninguna expresión en el rostro.

—¿Hasta cuándo seguiremos en esto? —le preguntó al supervisor.

— ¿Qué sucede, por qué me haces esa pregunta?

— Sencillamente me siento un poco cansado....

— Eso no tiene nada que ver con el trabajo que estamos realizando. Tal vez no te das cuenta de que se trata de una fuerte competencia.... hay una gran suma de dinero envuelta en esto, —explicó el supervisor, registrando el pisacorbatas tranquilamente, mientras movía el café con la otra mano.

Algo muy parecido a la verdad lo atravesó de cabo a rabo: de alguna manera, debía esperar el final con toda la tranquilidad que le fuera posible, dominando en todo momento el malestar físico que sentía, mostrándose severo, fuerte, impasible. Pero ya no encontraba forma de dominar los contornos de su cara, los rebordes de la quijada, la boca, los ojos, todo se había convertido en un triste amasijo de expresiones.

— Le gusta... mi corbata—, le repitió Julián, atragantándose con las palabras, sintiendo como años de repetición lo habían moldeado rápidamente, hasta el punto en el que no podía rebelarse, sino que más bien se había contraído sobre sí mismo, perdiendo toda noción de cambio, de temporalidad, de costumbre, hasta en su trabajo. Recordaba claramente la primera vez que vio un cadáver extendido delante de él, pareciéndole una kilométrica extensión de muerte, casi musical, sin poder integrarse del todo ante aquel fenómeno. Muchas veces pensó en asesinar a su mujer de aquella misma forma: disparándole en la cabeza. Pero su atrevimiento, la osadía de aquel disparo, a un ser totalmente extraño, parecía bien ser el préstamo de una valentía primigenia, en medio de la cual no era posible ni siquiera concebir la idea de un pago por la libra de carne asesinada.

Revisaba las heridas, una costumbre que adquirió desde el primer momento, la primera vez. Escrutaba el agujero inquisidoramente, como tratando de encontrar la clave de algún misterio. Al principio, tardaba horas en registrarlos todos porque, al ser arrastrado por el deseo, como un niño, sin poder controlar espasmódicas convulsiones de gozo, violentamente, vaciaba los cartuchos sobre la víctima, buscando una venganza carente de razón, el registro de alguna violencia primordial, arcana... hasta que aprendió a exterminar limpiamente, con buen gusto, de un solo disparo. Luego incrustaba el dedo en el agujero, sentía como su uña se remojaba en la sangre, y palpaba los costados, lentamente, asegurándose que se trataba de carne humana. Luego observaba la quemazón a los lados de la herida, por donde había entrado la bala... Algunas veces hundía el dedo tan profundo como podía, tratando de alcanzar algún rincón escondido de aquel cuerpo inerte. Luego contemplaba la sangre en su dedo; y, en ocasiones, alguna traza de carne prendida a la uña. De ahí, sin importar el sitio donde hubiera tomado lugar el hecho, se dirigía caminando lentamente hacia el río, al sur del pueblo, donde repetía ritualmente los mismos hechos, en cada ocasión: miraba el reflejo del sol, o la luna, en el agua, se arrodillaba para luego apoyarse en los talones... y terminaba quitándose los zapatos y las medias, para remojar los pies en el agua cristalina del río, muy cuidadosamente, como si se tratara de un niño. Entonces tomaba la jeringa, que siempre llevaba en el bolsillo de la chaqueta. Se inyectaba el líquido, y soñaba con las motas brillantes que dejaban al río como cubierto por un manto de luciérnagas diurnas.

Sentado ahí, sintiendo el agua fría recorrer sus pies, ponderaba los hechos acaecidos, rumiaba la última crucifixión, buscando exitosamente una justificación, para regodearse en su talento martirizante. El último había sido un hombre regordete, que se detuvo sudoroso a pedir un refresco, en la cafetería donde él, Julián, se encontraba hablando con el hombre del traje mil—rayas, en un círculo cerrado, sintiendo el aliento de aquel, en su propia cara. El hombre había recorrido el campo en su compañía, luego de que Julián se ofreciera a llevarlo, hasta el cruce de las vías del tren, hasta caer de bruces cerca de una masa de palos de caña, y un vagón abandonado. Julián había rasgado su corbata, tratando de alcanzarlo. El hombre suplicó e imploró clemencia por su vida, mientras Julián reía como un demente, y le pedía que muriera como un hombre. Le disparó dos veces, en el pecho, y el individuo cayó al suelo convulsionándose, lanzando esputos de sangre por la boca, y dos maldiciones antes de caer. Luego miraba a Julián con ojos vidriosos, mientras su garganta emitía un crujido, como un reloj fuera de control. En la cafetería, Julián y el hombre del traje mil rayas habían estado hablando sobre la posibilidad de mudar las operaciones a otra región del Sur, algún lugar donde fueran totalmente extraños, cuando la última víctima había entrado.

—Has estado pensando en abandonarnos... ¿Acaso estás cansado de nosotros? Siempre hemos sentido una gran consideración por ti, no entiendo cómo puedes pensar cosa semejante; el hecho de que exista una posibilidad de que esto suceda es, sencillamente, aterrador, —decía en un fino susurro, el hombre del traje gris.

—No te preocupes, no hablaré, no diré nada... no porque sienta algún deber hacia ustedes, sino porque no me importa, y no me conviene. Según veo hay un gran número de cosas que todavía no comprendes... Yo no deseo seguir aquí, la gente ya me conoce, no paso el tiempo suficiente con mi familia (sus manos se apretujaban una contra la otra)... —replicó Julián (sudando a chorros), impacientándose, hablando rápida y atropelladamente.

—Mucho cuidado en cómo te diriges a mí —dijo el primero, golpeando violentamente la mesa.

—Me dirijo a ti como me venga en gana, —disparó, valientemente.

—Hemos estado subvencionando tus vicios por mucho tiempo, a cambio de baratijas totalmente insatisfactorias, que en nada han logrado surtir nuestros parámetros de calidad. Ya estamos cansados de tus exigencias, y no vamos a proveerte más jeringas ni mucho menos lo que pones dentro. La próxima vez tomaremos medidas drásticas, debes saberlo, —terminó el del traje mil rayas, mirando a Julián a los ojos, de forma penetrante.

Aquella tarde, Julián rompió el récord para un simple "mandadero", aniquilando a seis sujetos en solamente un día.

Y se había convertido en una leyenda en la compañía, y en el pueblo.

Y había matado a muchos, inclusive a sabiendas, contando con el reconocimiento público, con las caras arrugadas a su paso, que le reportaban el nuevo status de real, único, verdadero asesino del pueblo.

Así, luego de terminar el café, pasaba quince minutos en su habitación, contrariado por la acidez, anudaba su corbata, bajaba las escaleras, y se sentaba nuevamente en la barra de la cafetería, donde lo esperaba el hombre del traje mil rayas. Por un breve momento, se dedicaba a observar a la gente que pasaba por el frente de la ventana principal, con las letras del nombre de la cafetería completamente al revés, para poder ver a los viandantes, mientras pasaban brevemente por la ventana, para perderse en la polvareda. Y se dedicaba a esperar, con estoica paciencia, a que el hombre del traje mil rayas le dijera, lleno de vergüenza, "bonito nudo.... en su corbata", para terminar sonriendo plácidamente, admitiendo la nueva señal, que se detonaría con un nuevo timbre, agudo, chirriante, y aun así sereno, seguro, puntual.

Entonces tomaba la jeringa, la llenaba, y se hundía en ese estado de gracia que le ayudaba a justificar lo que haría, a exterminar a la víctima, para luego soñar, como siempre, con aquel vagón lleno de cadáveres blanquecinos, hinchados, de los que solo podía ver los pies, amontonados uno encima de otro. Inclusive, en ciertos momentos en los que se sentía particularmente heroico, valiente, emprendedor, soñaba con escapar. Y veía dos figuras redondeadas, malolientes, que entraban a su habitación silenciosamente, susurrando palabras entre sí, cuando él ni siquiera podía ni quería moverse.

En la cafetería, Julián comenzó a sentir una oleada caliente que subía desde su estómago hasta su garganta. Y vio, como si la entrada de aquella mujer tuviera alguna relación con su café, a la que sería la próxima persona que ocuparía el vagón. Miró a su derecha, y el hombre del traje mil rayas la miraba también, como apuntalando su criterio, impulsándolo a que subiera las escaleras, y cumpliera con el rito. Luego de que pasaran los quince minutos, Julián bajó las escaleras, el mismo mareo, el mismo misterioso y breve espasmo en el bajo vientre, con una camisa limpia, y un nuevo nudo en la corbata.

Endemoniada(o)

"Vamos a comprar fruta", me invita Manelik.

Son las doce de la noche de un 21 de diciembre, por lo que nadie sabe si realmente es 22 de diciembre o qué diablos y le pregunto a Manelik, ¿comprar fruta?

Sí, fruta... tú sabes, contesta.

Manelick dice tú sabes de una forma tan definitiva que casi me da vergüenza por no saber que para mi primo frutas hoy 21 o 22 de diciembre es igual a mandarinas.

A esta hora, pienso.

Mandarinas, me río.

Subimos, mudos y en fila, la calle Pina, el Parque Independencia al fondo, siempre oscuro, siempre una certeza, una costumbre.

Veo la espalda de Manelik.

Abstemio, pienso.

Giramos a la izquierda y yo me detengo a centímetros de la espalda de abstemio Manelik... cubierta por una camisa mangas largas de listas color vino sobre fondo blanco.

Hunter's Run.

Su sudor, de repente.

Veo, más allá de sus hombros: las luces del tarantín de frutas. Las uvas duras. Las manzanas cansadas. Pasas. Cajas.

Silencio y la voz:

"Dime".

Una voz enorme y completa y vieja.

Y borro el sonido de la voz. Su profundidad. Su eco dentro de mí. Las imágenes dentro de la voz que dijo "dime". Esa maldad. Ese deseo.

Porque yo soy la voz y Manelik es la voz y ambos lo sabemos y somos dos corderos ante el estruendo de su miseria dentro de nosotros.

Manelik dice: no.

Yo cierro los ojos.

Mis ojos.

Bajamos, no me pregunten cómo. Pasan unos momentos. Estamos lejos, nos salvamos, no me pregunten cómo. ¿Qué pasó con la fruta?, pregunto recobrando el aliento. No, nada, responde Manelik, porque yo lo borré todo y él me mira y me dice sin decirlo: no la pude comprar porque la viejecita del tarantín está endemoniada.

Y: ¿no te diste cuenta?

¡Coño, pero claro!, contesto. Si está endemoniada, me di cuenta nada más verla.

Y sigo bajando la Pina, siguiendo los pasos de Manelik.

Pienso: menos mal que antes de nosotros por poco salir corriendo despavoridos mi primo Manelik tuvo el tino de disculparse diciendo "gracias, buenas noches, pero usted no tiene mandarinas" cuando la viejecita endemoniada le dijo o le preguntó "dime" con esa voz.

A saber dónde estaríamos ahora Manelik y yo de haberme tocado a mí hablar con ese demonio.

Everlast

Viene el cuero brillante en la mediana oscuridad y es nada lo que él puede hacer. Después del cuero brillante el dolor y los hombros de plomo, rodillas de goma y la hinchazón. Una pausa y alguien lo empuja. Un tipo de camisa azul y corbatín. Ahora su cara es un cañón, volumen y tumor. Su nariz abre los contornos de su cara, expande las órbitas de sus ojos. Su nariz es enorme y él se siente como un pez y la nublazón que lo conmueve se rompe. Escucha la campana y siente una embestida gigantesca. Otra vez: cuero brillante y más dolor. Sus talones ceden y los apostadores que beben y sudan y gritan piden más. Los talones, piensa. Alguien que se llama Aquiles sonríe. Niebla y ecos de gritos, el chirriar de sus dientes flojos dentro de la armadura que es su mandíbula. Aquiles es vaso de su odio. Escucha su voz que dice "te lo dije". Ahora él es un chorro y escupe agua y hay más gritos. La esquina está vacía. Su esquina. "Ríete", le dicen. "Abre". El abre. Otra vez se siente como un pez. "Como sea cobras, dinero seguro", mientras se tambalea. Aquiles: "hazme caso, te van a matar, no te hagas el hombrecito". La bóveda cerrada y blanca de su cabeza es un eco y está de pie y todo es un trueno. Un relámpago dentro de él y todo choca y el horizonte vertical y el suelo y el resto: su cuerpo. Luces también verticales y él sigue vivo. "Todavía no", se dice como un guerrero que ve luces. Una mujer —la suya— llora en los salones y el frío y una casa sin puertas. Cuero brillante. Dolor y negrura.

"Caigo", se dice y cae. Humillación y mierda y convulsiones. Una toalla blanca allí, en la otra esquina. Pies. Piernas. Dinero seguro y cicatrices y un temblor de vez en cuando el primer año, cuatro temblores al año siguiente. Su futuro: tiembla para desvanecerse. Recuerda y pasan diez años. Tiembla más. Otros llegan y aprenden y pelean pero un día él se rompe porque el cuero brillante del sillón frente a él se estrella sobre su cara y viceversa. Lo último que ve desde el asiento trasero de la van, el elástico de sus "truncks" Everlast que en realidad son Pampers "King-size" donados por Mr. Parkinson un horno en su cintura, sus manos gruesas, sus dedos como cañones retorcidos a los que suplica que por favor se detengan, es el mar turbulento que golpea el arrecife una vez. Cuando la muerte levanta el señuelo de su derecha y te vas con él desde el infierno viene la izquierda que te destroza el cerebro o la mandíbula o una costilla y uno, dos, tres... o sea que uno se rompe completo; después de todo esto él es pez y ya no tiembla porque los gritos se han perdido dentro de él y las luces se apagan en el olor a madera y la oscuridad en una caja. ¡Coño, que duro pegaba el tipo!

La profundidad

Los hijos del Sr. Ripoll no lo amaban. En cambio, el Sr. Ripoll amaba a sus tres hijos profundamente. El Sr. Ripoll también amaba profundamente a su esposa; quizá por eso, por la profundidad de ese amor, su esposa, una mujer grande y obediente, exhibía inesperados moretones y repentinas molestias al caminar, en las mañanas porque se caía de la cama matrimonial casi todas las noches y de cara. Contrario a lo que haría cualquier otra mujer, ella no disimulaba la cojera o trataba de ocultar con maquillaje un pómulo amoratado. Cuando le preguntaban qué le había sucedido contestaba que se desorientaba al dormir y que tenía un sueño intranquilo. Al decir esto siempre sonreía y hasta parecía feliz. Después de todo, el Sr. Ripoll no era un hombre dado a vicios mundanos. No fumaba. No bebía. Nunca apostaba. Un hombre de hábitos precisos: el Sr. Ripoll desayunaba a las 7:00 a.m., todos los días. Cagaba justo veinte minutos más tarde. Trabajaba con responsabilidad indiscutible. Cumplía sus horarios con milimétrica exactitud. Siempre. Un hombre, de domicilio. Respetuoso. Incapaz de una infidelidad divertida e inútil. El Sr. Ripoll era un contador público autorizado que contaba con ingresos moderados y que disfrutaba con total carencia de gracia de un relativo éxito profesional. Un hombre amoroso, responsable. Con el Sr. Ripoll se podía contar. Sobre la profundidad del amor que sentía por su familia se puede decir, con justicia, que el mismo era tan profundo que el Sr. Ripoll era, en ocasiones, sobrecogido por su fuerza abarcadora y entonces aquel peculiar sentimiento quedaba visiblemente expuesto en el bulto que se levantaba desde su entrepierna mientras veía a sus hijos jugar. Un día, sin embargo, algo estalló. El amor por sus tres hijos y por su esposa estalló en su interior. Aquella tarde, después de parquear su Toyota Corolla impecable en la marquesina de la casa y de ducharse y secar metódicamente los dedos y los intersticios de sus pies, el Sr. Ripoll se dejó llevar y, en un arranque de expresividad amorosa, violó y asesinó a su esposa y a sus tres hijos. Y luego se suicidó.

Nequaquam Vacuum*

"¿Quién sabe que el espíritu de los hijos de los hombres sube hacia arriba, y que el espíritu de la bestia desciende abajo, a la tierra?"
Eclesiastés 3:21

Flotamos y esperamos. Nadie habla. Todo contenido en el silencio y la luminosidad oscura. Entre nosotros no hay uno que sienta. Veo las figuras —brazos, piernas, torsos— blancas y abiertas como estrellas frente a mí. Ellos, aglomerados. El cristal de los cascos de sus trajes brilla contra el reflejo del Sol, a cientos de miles de millas de distancia. Los abismos nos flanquean. Todo está lejos. No puedo recordar con precisión cuánto llevamos aquí, inertes. Tampoco puedo sentir nada de la cadera hacia abajo. Debo haberme orinado encima. Todos lo hacen. Nos dijeron que siempre sucede así. Cuando pasa algo malo el encierro del traje hace que nuestros fluidos se desborden. Uno no siempre lo siente, recuerdo que dijo uno de los entrenadores. Otra cosa: creo que he quedado inválido. Pero eso no importa porque no se trata, precisamente, de que pueda remediar la situación, de forma definitiva. El caso es que ya no siento. Sólo veo: siluetas blancas contra la oscuridad. En cualquier caso no existe la más remota posibilidad de que tanto las siluetas como yo seamos rescatados. Lo último que supe fue que el próximo transporte —y de eso hace más de una semana nos encontraría en ruta dentro de dos meses.

Luego vino la explosión. Comenzamos a deslizarnos hacia un costado. Las luces nos cegaron. Sólo unos pocos logramos salir. El detritus y los escombros se perdieron de mi vista hace horas. Quizás días. También dos de las siluetas que en principio estaban allí, frente a mí, se perdieron ya. Imagino que iremos perdiéndonos mutuamente de nuestros respectivos campos visuales poco a poco, en la medida en que pase el tiempo. El tiempo, por otro lado, parece no pasar. Como el tiempo no pasa las dos siluetas que permanecen flotando frente a mí tampoco pasan. Hace horas he estado jugando a adivinar cuál de ellas está muerta. ¿Por qué no se mueven? Los transmisores de los trajes no sirven, a falta de una base. Por eso no me hablan... No se mueven por la misma razón por la que yo no me muevo... ingenuidad. Estoy cansado, aunque no es que sufra. Eso es lo que cualquiera esperaría. Es sólo que estoy cansado. Los guantes y el casco me pesan, aunque aquí nada pesa en el sentido tradicional de la palabra. No sé cómo describirlo. De sentir algo, pienso, quizás las botas también me serían pesadas. A veces el juego de la oscuridad y sus luces hace que vea cosas. En ocasiones, la silueta de la derecha hacia arriba parece hacer señas con los dedos. La miro por lo que parece ser una eternidad. Luego dejo de creer. Aquí no hay espacio para creer. Nunca había escuchado un silencio así. Me gusta pensar que ellos están tan cansados como yo y que no están muertos. ¿Qué pensarán ellos de mí? En realidad estamos muertos los unos para los otros. ¿Qué podemos hacer? En este momento sólo puedo decir que Io es hermosa. Tranquila. Parece flotar a espaldas de las siluetas blancas. Una vez me contaron que en Io hay muchos accidentes. Las minas son enormes y la han ido perforando durante los últimos 60 años, poco a poco, como si fuera un queso holandés. Todos los días alguien muere en Io. Veo las siluetas con contornos y el verlas me lleva a los accidentes en Io. ¿Podría alguien imaginar algo así? ¿Que en la negrura de su cielo hay tres siluetas blancas flotando, y que sus plantas, sus árboles frutales y ornamentales, sus semillas para hortalizas, están perdidas? ¿Cómo, después de todo, podría distinguir quién es quién? Aquí uno no se cansa de las preguntas. Lo único que lamento es que las plantas se perdieron. Muchas plantas. Las llevábamos en contenedores sellados a prueba de aire y contaminación. Todo se perdió. También los B—100, tan simpáticos y de caminar inestable, se perdieron. Recuerdo al último que vi la mañana de la explosión. Había reportado que él y los otros habían regado el interior de los contenedores en el almacén. Estábamos, los botánicos y yo —así les llamábamos, "Botánicos"— en la antecámara de la bóveda, cuando apareció el reporte en pantalla. La bóveda estalló al poco tiempo y la negrura se llenó de cristales incandescentes. La ola expansiva disparó las puertas selladas hacia nosotros. Pienso que lo que estalló fue los tanques de combustible. Algo debimos haber pasado por alto. En algo fallamos. En realidad la explosión fue muchas explosiones. Una tras otra. Una ola. Olas de fuego. Luego nos viramos. No dio tiempo ni siquiera para que la alarma sonara. Contrario a lo que cualquiera pensaría nadie ayudó a nadie. Todos corrimos por nuestras vidas. Unos nos salvamos. Otros no. Pero en realidad, ¿quién se salvó? En todo caso poco importa. No nos conocíamos bien, después de todo. Sólo éramos una aglomeración de colegas. Durante el viaje nadie se acercó a nadie. Nadie sabía nada de nadie. Nadie importaba. Sólo importaba terminar, llegar al destino. La compañía no promueve las relaciones interpersonales. Cuando estallamos no escuché un sólo grito. Cerré los ojos y me lancé. Luego me encontré flotando. Nada de lo que nos enseñaron en la academia durante cinco largos años nos fue útil: técnicas de respiración, manejo de crisis, autopreservación, mínima utilización de los recursos en situaciones apremiantes, uso de recursos de emergencia, mantenimiento de los trajes, mantenimiento del medio de embarque, envío de señales de emergencia... nada. Nadie pensó en rellenar los depósitos de oxígeno de los tanques. Nadie pensó en verificar la programación de las escotillas de emergencia. Nadie pensó en programar la señal de alerta en la estación de recibo, a saben los dioses cuantos años luz. Nadie pensó en ayudar al compañero que había caído de bruces, levantándose poco a poco, luego de que una puerta de acero fundido de dos toneladas le aplastara la espalda. Sólo pensamos en salvar el pellejo, como dicen en las películas. Y ahora, los poco que quedamos, nos observamos sin saber a ciencia cierta quién está vivo. En todo caso, nadie nos enseñó la forma de estar conscientes de nuestros instintos. Después de todo, aquí estamos y eventualmente todos correremos el mismo destino. Lo que he visto no es una premonición ya. Es un hecho. En cualquier caso nunca fui un personaje especialmente amistoso. No puedo decir que cuente con amigos y familia allá en el hogar. Poco a poco me voy meciendo hacia mi derecha. Las siluetas se mueven hacia la izquierda. Todo es lentitud. Trato de dormir pero me hago a la idea —por absurda que sea— de que uno no puede dormir cuando está en mi condición y de que se gasta más oxígeno cuando se duerme. Me resisto a lo que me espera. A veces creo que veo la luz roja de una sonda de comunicaciones frente a mí. Nunca tengo razón. Luego viene lo racional: ¿Qué uso tendría uno en caso de que venga una sonda de comunicaciones a este lugar en medio de la nada? ¿Qué haría yo? ¿Agarrarme desesperadamente a una de las antenas? De presentarse un caso así no sabría qué hacer. Aparte de que no tengo recursos —propulsores o cables de enganche— me hago al hecho de que no sabría qué hacer porque no soy más que un controlador de inventario sin sentido de la disciplina. ¿Qué se esperaría de mí? Lo único que se hacer es contar plantas. Lo único que le puede quedar a alguien que de repente se encuentra en mis circunstancias es, creo, los recuerdos: Anacreón sigue en mi memoria; sus playas y sus palacios, el Senado y sus avenidas, sus monumentos y las oleadas de gente mientras salen de los campos de crecimiento. ¿Para esto fuimos sembrados en principio? Recuerdo el mensaje del presidente de la compañía, antes de que zarpáramos: gladiadores en fronteras desconocidas, gente que viaja hacia lo nunca visto con ese espíritu indomable del ser inquieto... que nada los detenga en su noble misión. De ustedes dependerán ellos... el discurso, mudo, en la pantalla negra con letras brillantes, verdes. Veo las caras de mis compañeros, sonriendo condescendientemente ante tal ridiculez. A nadie podía convencer aquel ejecutivo alto fruto de los nuevos diseños luego del bicentenario, de las grandes celebraciones y las pompas que se llevaron a cabo en el Gran Anillo. Y poco después nos convertimos en siluetas blancas que flotan en el silencio. Uno se preguntaría cómo siguen las cosas en el anillo. El Gran Anillo. ¿Continuarán las batallas por el dominio de las lunas nuevas y lejanas mientras estamos varados, aquí? De nada han servido las guerras que, de niño, vi librarse sobre los hombros de Orión en las grandes pantallas de la Plaza de la Victoria, entre la multitud, sobre los hombros de mi padre... un padre lleno de una fe ahora envidiable; un padre a quien no le importaba saber, como a todos nosotros, que gran parte de aquellas batallas no eran más que la creación del Alto Consejo, que eran una ficción transmitida al consciente y mantenida por los siglos de los siglos para atarnos a una elocuente propuesta de una cómoda realidad. ¿Qué pensaría él ahora, en el actual estado de cosas? ¿Seguirá consumiendo Melange contrabandeado? La última vez que lo vi era más sabio. Veía el futuro y sabía cuándo moriría. Sus ojos se habían tornado azules completamente.

Era una sensación extraña hablar con él; no podía decir si me miraba o no.

Si es así como termina todo entonces nada de esto es la gran cosa realmente. Si para esto nos han preparado creo que no están conscientes todavía del rotundo fracaso que han sufrido. Ahora nada y todo se mueve. La esperanza engaña. El sufrimiento que se espera se troca en magia a veces. Poco a poco voy perdiendo las dos siluetas blancas de mi campo visual. Io también va desapareciendo de mi horizonte. Muy pronto frente a mí sólo habrá el silencio y la luminosidad oscura.

No existe el vacío: epitafio encontrado en la tumba secreta de Christian Rosenkreuz, "mítico" fundador de la Orden Rosacruz Oculta Europea.

Puedo ver
tu casa desde aquí

Puedo ver tu casa desde aquí. Es hermosa y pequeña. Tus hijos corren y juegan en los alrededores, cerca de la playa. Las olas mueren en la arena gris.

Tu esposa nos espera en medio de una nube de polvo. La veo: parece pequeña y ajada. Luego nos abraza.

Nos dice que todos están bien. Que no ha pasado nada grave luego del fuego que consumió parte de la cocina dejando todo chamuscado y hediondo por un tiempo. Que ha pintado las paredes. Que a los niños les va bien en la escuela. Que viven tranquilos y que el vecindario – los pocos vecinos que componen ese recodo playero de la ciudad, hacia el este – ha mejorado considerablemente. Que han pagado el préstamo, con grandes esfuerzos y sacrificios. ¡Dios bendiga a los bancos!, me dice con triste ironía.

¿El carro? Uno nuevo. La compañía se lo ha regalado con el inicial. Luego, le descuentan el resto. ¿La abuela? Ya sabes. Sus achaques. ¿Los tíos? Todos bien. ¿Los perros? La hembra murió de parto. Estamos felices con los dos cachorros que dejó.

Las vidas de los animales son así: espejos de las de los hombres.

Me siento feliz por sólo dos segundos, porque ella no parece estar triste. Imagino que tú estarás feliz también. Creo que estás feliz junto con todos nosotros. Pero por la forma en que apoyas tu brazo derecho en el respaldo de la silla, por la manera en que me dices "salgamos, quiero enseñarte la playa", por la manera en que uno de los nuevos cachorros te mira, pienso que no.

Estás aquí... eso es un comienzo.

Pero pienso también que hubo cosas a las cuales no pudiste ceder. Uno no se entrega tan fácilmente como uno piensa. Las cosas no son así... así de simple es la situación. Si uno se entregara con el desenfado que mandan las circunstancias todo sería muy distinto.

Cuando me dices que caminemos por la playa creo que todo se trata de que estemos solos unos momentos. Los niños vienen con nosotros y caminan, animosos, por la yerba. Nuestros silencios son justos en sí mismos. Después de todo, ¿qué tenemos para decirnos que no sea pura gentileza? Hemos peleado mucho.

Demasiado.

Imagino que lo único que hemos hecho es buscar o hacer nuestras paces.

Nos alejamos. El mar brilla. Los niños juegan y gritan. Son corteses. Cuando me dices, de repente, que estás cansado, pienso en volver y giro hacia la derecha. Dices "sigamos", y retomas el camino de la playa, que es más largo y hace un rodeo hacia la casa. Al pasar una colina vuelves hacia la senda de la yerba, hacia arriba. Los niños te siguen y yo me quedo rezagado. Veo tu espalda y quisiera preguntarte por qué hicimos tantas cosas horrendas. Estás encorvado y noto que las cosas no han ido del todo bien con tu esposa. Pero, ¿a cuál de nosotros le ha ido bien, en fin? Hay una forma indescriptible de notar o de definir estas cosas. Es raro. Es un mohín que no se puede identificar. Un gesto indefinido. Una mentira de las que se dicen con el cuerpo: de esas ante las cuales uno calla.

¿Será respeto?

Creo que en realidad es nada.

¿Y el carro viejo?

Extraño trabajar en él, dices. Sabes que ya no puedo. Te digo que sí, que lo sé. Luego te pregunto qué harás con él. No es cuestión de lo que yo quiera o no quiera hacer con él, contestas. Se trata, al final, de lo que mi esposa quiera hacer con el carro viejo. Es ella quien manda ahora. Te digo que ellas, aunque no lo sepamos, son quienes han gobernado, desde siempre.

Sigues caminando.

¿Y madre?

Madre no sirve para nada… y te detienes. Luego dices que siempre la visitas, pero que ella nunca ha tenido el talento para verte. Me miras. Ira impotente en tus ojos.

Los niños también me miran.

Creo que debemos volver. La comida estará lista. Sabes que nuestras esposas habrán preparado algo bueno para ti. Siempre lo hacen. Dices todo esto como en una andanada. Rápido.

Luego subimos – tú en la delantera, los niños detrás; yo, como siempre, cuidando la retaguardia – la última colina, evitando la curva que da el sendero de arena en la playa. De repente quiero llegar a la casa, descansar aunque no esté cansado. Subimos la colina y me siento agotado. Llegamos a la cima.

Ahora, mirando hacia abajo, veo que la colina no es muy alta. Los niños ríen de algo que no entiendo.

Mi mano derecha cubre mi frente. Siento que nos haces falta. Me pregunto qué sentiste en ese recodo del camino, en esa curva inesperada aunque no violenta. La ausencia que produce la muerte es así.

Te digo "puedo ver tu casa desde aquí".

Nosotros

El veneno no hizo el efecto esperado. Cuando Lamia, anciano excelso, cayó al suelo retorciéndose, todas las miradas de los senadores siguieron el trayecto de su cuerpo frágil. Lamia era un hombre malvado por consenso general. De una forma u otra todos habían deseado su muerte... todos aquellos cuyo trabajo o ambiciones habían sido considerados por Lamia. Sin embargo Lamia no murió. "La dosis de veneno habría acabado con cinco hombres robustos", pensó el sicario contratado para ocuparse de que la pócima llegara a su destinatario.

Lo que pocos sabían era que Lamia había tomado el veneno a consciencia de lo que hacía.

Eones después de lo que el intento de asesinato del anciano excelso Lamia ocasionó, vinieron los senadores, ancianos, presidentes de grupo, congresistas, abogados, leguleyos, cronistas, escribientes y secretarias, todos electrónicos... cincuenta años después, la cosa pública era dirigida por réplicas diseñadas para realizar sus deberes con escrupulosa eficiencia, durante un período de cuatro años. Luego se derretían, sin importar el rango o puesto en que se habían desempeñado. Después entraban en función nuevos batallones de réplicas mejoradas a partir de las quejas emitidas por el ciudadano común con respecto a las gestiones de las anteriores unidades de trabajo público.

Todo marchaba bien.

Nadie recordaba a Lamia, quien había muerto al resbalar con un patín (sustantivo no registrado en los diccionarios actuales) que había dejado abandonado uno de sus bisnietos en la entrada de la terraza de la casa de campo de la familia, para no repetir en las colinas de Anacreón.

Lamia, en principio, murió en vano, eso pensó todo el mundo. Lo importante de su vida, como anciano excelso, fue que adivinara el momento oportuno en que tomaría el veneno. Sobrevivió, y luego se convirtió en héroe. Obtuvo vigencia. Siglos y siglos de vigencia. Murió como un obtuso mal necesario.

Lamia sabía una cosa y esa fue su última frase: "todo comenzó con un aullido".

Ahora Lamia es un mito. Todos creen en él. Las cosas todavía marchan bien.

No lo recuerdo

"Tienes que irte. Escapar", me dice el Pulpo. "No esperes más. Tienes que huir". El Pulpo gesticula como quien conoce un secreto. O el futuro. Hace una hora que llegó y ya me bajó la nota. Le digo: "me vas a bajar la nota, coño", pero no oigo mis palabras. "No entiendes", dice el Pulpo con impotencia. No recuerdo que el Pulpo ha estado tratando de explicarme lo de la inundación que muy pronto borrará la costa sur de Santo Domingo. Que borrará Ciudad Nueva y la Zona Colonial. Y a Muhammad y su puesto de venta de cadáveres con vegetales y pan. Y el malecón con sus dos obeliscos. El Pulpo es mi amigo y me visita, siempre, una hora después de que me tomo el té de hongos de cada tres días, para decirme cosas. ¿Qué cosas? No lo recuerdo. El Pulpo es un pulpo de verdad, tentáculos y todo. Lo sé porque siempre leo. Y mi hermana tiene Internet. El día menos pensado voy a grabar lo que el Pulpo me diga. A ver qué pasa.

Una vez salí con una tipa que se llamaba Ircania. Ircania era lo que se llama "una muchacha de familia". Una buena candidata. Eso decían mi madre y mi tía. "Buena, y te conviene". No recuerdo por qué me convenía Ircania. Sí recuerdo que Ircania era fea y buena estudiante y su hermana Kenya me gustaba más. Ircania iba a la iglesia y yo le gustaba mucho.

¿Por qué yo le gustaba? No lo recuerdo. Ircania y su hermana y su madre vivían cerca de la farmacia. La farmacia pertenecía a mi madre y a mi tía. Mi madre, mi tía, mi hermana (una mamadora enfermiza) y yo vivíamos en el interior de la farmacia. En medio del estómago de la farmacia. Mi padre era el dueño de la farmacia y murió, aunque no recuerdo cuando… Sospecho que mi madre y mi tía se lo comieron. Por eso me bebí todos los jarabes y me tragué todas las pastillas y calmantes de la farmacia. Y la farmacia quebró. Esta historia la recuerdo porque cuando la farmacia quebró —el día que no hubo dinero para el pan del desayuno— el Pulpo bailó de felicidad toda la noche, en mi habitación. Poco después tuve que conseguir un trabajo y hablar con un tipo a quien llamaban "doctor" sobre "lo que yo hacía". ¿Que qué yo hacía? Una noche, después de llegar agotado del banco, donde pasaba el día muerto de risa, recibí una llamada de Ircania. Tres minutos después el Pulpo hizo su aparición: tentáculos y cabeza a través de la boca del zafacón del baño. Ircania seguía hablando. Cerré los ojos y el Pulpo empezó a hablar también. Dos ametralladoras de palabras, el Pulpo e Ircania. Media hora después abrí los ojos. Ircania seguía al teléfono, sólo que ahora gritaba. La tipa había enloquecido. Gritaba, gritaba y gritaba. No recuerdo qué gritaba. Al día de hoy no he vuelto a ver ni rastro de Ircania ni de su familia.

Creo que se mudaron.

El amor de mi vida fue Angelina. Angelina vivía en la calle Arzobispo Portes casi frente a la Iglesia Evangélica Dominicana, entre las calles El Número y Las Carreras. Antes de morir, Angelina era negra. Una vez, antes de su muerte, le pregunté cómo estaba su perro. Me contestó que no tenía ningún maldito perro. Yo caminaba en el aire, extasiado. Horas después su tío (un tipo a quien llamaban Boca de Barco), me dio algunos consejos sobre cómo conquistar a su sobrina. No recuerdo lo que Boca de Barco me dijo (últimamente lo he visto en televisión, en Ocurrió Así, como uno de los más buscados después de la inundación), pero sí recuerdo que Angelina murió ahogada en la inundación que el Pulpo predijo acabaría con todo lo que conocemos como Ciudad Nueva. Aquello fue una maldita vaina hedionda. Demasiado agua. Mucha gente murió. Gente y cangrejos (que en Puerto Rico se llaman "hueyes" en plural, ¡coño!). Todo quedó destruido: lo que yo conocía y lo que nadie conoció, o imaginó, de Ciudad Nueva. Glorietas y calzadas, monumentos y casas y prejuicios. Un día, no sé cuándo, todo terminó inundado. No recuerdo en qué ocurrió (no recuerdo cómo ¿?) la inundación, pero estoy seguro de que, si no ha sucedido, pronto sucederá.

Trabajo en un banco. Tengo tres corbatas. Tengo cuatro camisas blancas marca Doberman y otras dos marca Cactus; durante la semana alterno corbatas: lunes, amebas amarillas sobre fondo rojo; martes, rayas doradas sobre fondo azul y así sucesivamente, como en el tiovivo del Parque Eugenio María de Hostos. Mis zapatos son gigantescos. Eran de mi padre. Me veo bien. Todos lo saben. La envidia los arropa. Siento sus miradas sobre mí. Me admiran al verme caminar de la Francisco J. Peynado hasta el Parque Independencia. Lo sé porque puedo escuchar sus risas y los comentarios que ocasiono al pasar… sólo quisiera recordar cuáles son para hacer un catálogo.

Ciudad Nueva, donde nací, me crié y me fui a la mierda ahogado en la inundación que predijo el Pulpo, es una "isla burguesa en medio de un torbellino de decadente pobreza, con pretensiones artísticas, empresariales e intelectuales". Buena frase. La leí... bueno, no importa. El puré de papas cayó cerca del centro de sala cuando la repetí en el mismo tono en que el profeta del tocadiscos destrozado canta las bondades de la programación de "radio—ñema" en el Parque Independencia o en el "drei" (Drake`s para los incultos: un pedacito de cielo que Dios nos regaló ahí en la Plaza España antes de que los restaurantes surgieran del medio del mar y se posaran allí a poner sus huevos capitalistas). Mientras gritaba me daba puñetazos en el pecho. El portazo avisó mi salida a la calle. Segundos antes escuché a mi tía decir "hay misterios en la...", pero nada más, porque mi madre, quien siempre yace a su lado, como un recuerdo, nunca dice nada.

Me encanta leer. Leo periódicos, cuentos, novelas de Corín Tellado que mi hermana esconde bajo el colchón de su cama y que dicen cosas feas y contienen fotos de gente desnuda que no tiene dinero para comprarse ropa. También leo Atalaya. Atalaya es un periódico pequeño que Henry, un primo del Pulpo que es amigo mío, fabrica en una televisión.

¡Televisión! Je-je-je, eso me dicen. Primero televisión, y luego je-je-je.

Henry cree que porque una noche a las 3 y 42 de la tarde me dijo que el monitor Samsung de su computadora era una televisión yo me iba a tragar una funda llena de clavos o a fumarme una plasta de mierda de caballo o que yo soy capaz de comerme dos libras de moco del que le sale a uno por lo que le queda de nariz después de meterse un 14 (en el `95, un 14 era igual a RD$ 1,400 pesos de perico). Henry me envía la Atalaya algunos domingos. No todos. Henry envía su periódico subversivo (utilizando operadores disfrazados de Testigos de Jehová: ¡excelente!) con dos espías de la Interzona. ¿Que qué es, o dónde está, la Interzona? ¡Noooo, ahora nooooo! ¡Mierda! Pero nada, sigamos: los espías son calamares. Tres calamares que siempre vienen en pareja. Una de ellas se llama Juliana. Todos la llaman Rocío cuando va a comprar ron al colmado de la esquina. La otra es Luis. Una mañana de domingo, al escuchar un alarido eléctrico (esa me quedó bien, en lugar de decir timbre), me envalentoné. Abrí la puerta y solté un golpe. La pareja cayó al suelo. Se pusieron de pie y comenzaron a hablar. "Fue Henry". Eso fue lo último que escuché. La pareja de tres espías se marchó con paso seguro. Estaban indignadas. Les grité algo sobre las vocales dentro de Jehová. O sea que las mandé a la mierda. Cinco minutos después sonó el teléfono. Era Henry. Al escuchar su voz comencé a gritar muchas cosas en chino y luego colgué. Tomé un baño y dormí sobre mis zapatos. En realidad Mickey Mouse debería llamarse Don Mickey. ¡Maldito ratón tan viejo! Por eso nunca leo. Ni periódicos, ni cuentos, ni las novelas de Corín Tellado con fotos de gente singando. Mi hermana cree que yo creo que sus novelas fueron escritas por Corín Tellado. ¡Ja! La perrita esa no se imagina que yo sé que en realidad se llaman La Verduga y las compra frente al Parque Independencia, justo en la esquina de la Barra Paco's, ¡y de día!. Además, Corín Tellado no escribe esas maravillas. ¿Que cómo lo sé? No lo recuerdo.

Un colmado y digo "un pote de romo, seis vasos con hielo, cuatro huevos, media libra de arroz como de este tamaño" (y hago una seña con mi otra mano izquierda), y me callo como una tapia en... ¿qué película? Rafelito y sus bigotes me miran. Rafelito es de Baní, un sitio en el sur de aquí (República Dominicana), donde hay mucha gente blanca pero ya no. También queso. Queso de todos los colores. Lo leí en un libro de historia dominicana que no recuerdo cuándo escribí. Rafelito me entrega el periódico. Y los huevos. Luego ríe. Le pregunto: "¿entiendes?". Entonces las 562 personas que viven en el colmado y debajo de la tierra comienzan a susurrar. Están muertos y sólo yo lo sé. Salgo del colmado y los huevos y el arroz también están muertos. Rafelito, el agente de la Interzona primo del agente y calamar Luis ríe a carcajadas. Sospecho que su nombre es Anabell. Hace cinco días que no como. Las sardinas que vuelan a mi alrededor se comen todo tipo de alimento que me sirven antes de que yo pueda reaccionar. Alguien ha estado llamándome desde un sitio que llaman "banco". La última llamada fue como sigue:

Banco: ¿aló?

Yo: ¿aló?

Banco: ¿está usted ahí?

Yo: no, estoy en Honolulu.

Banco: ¿dónde?

Yo: en Honolulu, y en tu casa.

Colgué. Rafelito es malvado. Es el Diablo. Y no lo recuerdo.

Tengo una regla te. Ahora tomo té de hongos todos los días.
Y fumo marihuana y cigarrillos. También agua... es difícil
fumar agua. Eso es un chiste. Los jarabes me dan sueño. Los
mejores son los antialérgicos. He vendido prácticamente
toda mi ropa. Los últimos jeans se los vendí al Mamut. El
Mamut es hermano de Henry. El Pulpo... ¿qué iba a decir?
También vendí: mis chinografos y una mesa de dibujo.
Hace unos días me desmayé porque encontré a mi hermana
atragantándose con el sable de uno de sus novios en el baño
de la casa. Todo fue como sigue: abrí la puerta del baño. Tenía ganas de cagar. Abría la puerta del baño. Tenía ganas de
cagar. Mi hermuana. Tengo una regla te.

Richard es mi hermano y es valiente.
Nos criamos juntos.
Richard se fue.
Dicen que vive en España.
En Madrid, la capital de España.
Eso dicen.
La última vez que Richard llamó le grité que no volviera, que
ni se le ocurriera volver porque todo esto (lo que somos, la
nostalgia, Ciudad Nueva, la zona...) iba a ser tragado por el
agua.
Richard, ¡qué gran tipo!, me escuchó en silencio.
Luego lo escuché decir, por lo bajo, como quien habla por
teléfono pero se dirige a otra persona... lo oí decir: ¡coño!
Eso, ¡coño!

Y como el que vive fuera de aquí nunca entiende nada yo también dije ¡coño!, y colgué el teléfono.

22 de febrero

Esta mañana, luego de bañarme, me paré frente al espejo de mi habitación, totalmente desnudo. En el espejo apareció un tipo que también estaba desnudo. El tipo me afeitó, me vistió y me peinó. Luego se marchó al mismo paso que yo. No lo he visto desde entonces.

En Manresa hay mucha agua y helados. En Manresa hay hasta una playa. También había curas (o sea, sacerdotes, padres, lo que sea... "whatever", dice mi hermana—perrita).

Ahora ya no lo sé.

Manresa está como a 50,500 Kms de Santo Domingo, siempre y cuando uno vaya a pie. De noche, la distancia es mayor y también hay policías. A la izquierda está el mar. De alguna forma el mar siempre está, siempre hacia la izquierda. Parece que se mueve al mismo paso de quien camina.

Al regresar de Manresa me subí a una guagua (que en inglés se dice "Bus": ¡coño!). Una hora después lloré porque me perdí.

"Esto es San Cristóbal", me dijo un niño que parecía una Iguana. Y lloré más. Luego subí a otra guagua.

Al llegar al Parque Independencia me di cuenta de que estaba frente al banco donde trabajo. Traté de entrar. Toqué la puerta.

Nada.

Para no cansar el cuento, como decimos aquí, sólo queda decir que me fui para mi casa porque eran las 11 de la noche y recordé que tenía que prepararme para la inundación.

Había una cantante que se llamaba La Sophie. Una mujer hermosa que siempre aparecía por la televisión, como Mi Bella Genio por la botella de aquel astronauta imbécil e impotente que no era capaz de romperle la vagina en mil pedazos a Barbara Eden de manera definitiva.

Y el culo también.

Hoy es el día de las madres. Mi amiga uruguaya Lucía de Michelis suele decir "no pasa nada" cuando el mundo se viene abajo.

Lucía vive en Madrid, capital de España, igual que Richard.

Cuando el mundo se viene abajo lo mejor es esperar.

Lo único que conservo del hermoso trazo de mi caligrafía es que es todo lo que tengo y la arquitectura y espero La Sophie.

Espero.

Espero.

Recibo una llamada telefónica (¿quién coño, en esta republiquita dominicanita dice "llamada telefónica", "tintorería", "automóvil", "penumbra"?). Espero.

Una voz que dice:

—¡Heyyyy!

Yo: "heyyy".

La voz: "soy yo". "Este es un mensaje".

Yo: "felicidades".

La Voz: "llámame".

Yo: "¿que te llame?"

La Voz: "sí". Y luego dijo: "a cualquier número".

¿Por qué será que desespero quiere decir dejar de esperar en lugar de desesperarse?

¡Un rayo!

¡Ahora!

¡Un rayo de mierda!

24...

El Pulpo me visitó hace unos minutos.

Me dijo que no hay tiempo, que debo olvidarme de la boda, de su hermana, de todo, y salvarme, huir.

"La inundación será esta noche", dijo.

Y: "olvídate de mi hermana, sálvate tú".

"Pero, ¿no podemos avisarle?", le pregunté.

"No importa. Después de todo es una perra, maldita Cereza podrida. Que se pudra debajo del agua", contestó el Pulpo, y finalizó, en una carcajada, "después de todo, ni siquiera sabe nadar".

Y se marchó.

Lo siguiente es una conversación entre dos mujeres hermosas.

Hermosas y enfermas.

Luego de escuchar la conversación tuve que huir.

¿Por qué hui?

No lo recuerdo.

Verán ustedes: yo era feliz.

Feliz y caminaba.

La Avenida Tiradentes es, a las 2 de la tarde, como una lluvia de hormigas. Me guarecí en la parada de la Ohmsa. Ellas, las dos mujeres hermosas, vivían allí. Les pregunté hacia dónde se dirigían. Las miré, totalmente enloquecido. Enloquecido. Feliz y enloquecido. Caminaban dirigían miré por qué Tiradentes feliz dos de la tarde Tiradentes guagua autobús BUS. Yo era feliz y caminaba.

23 de febrero, a las 2 de la tarde, calle...
No

22

Esta mañana, luego de bañarme, me paré frente al espejo de mi habitación totalmente desnudo. En el espejo apareció un tipo.

Un conejo.

Conejo, Conejo, Conejo.

Febrero.

Me duele la piel.

Abril, por una cereza.

Estoy enamorado de la hermana del Pulpo.

La hermana del Pulpo se llama Cereza.

Cereza es una mujer.

El Pulpo se siente feliz porque su hermana no sabe que soy su amigo ni conoce nuestras conversaciones.

No sabe nada.

Ni mierda.

Por Cereza he abandonado la pornografía.

No la necesito.

Total, de todas formas no se me para.

Abril

Por ella, que es hermana del Pulpo, hay que romper las bombillas y faroles que iluminan las calles. Los helicópteros sobrevuelan esta parte de la ciudad dejando caer centenares de contenedores de apariencia siniestra llenos de comida, artículos de primeros auxilios y juguetes. La inundación fue devastadora. El Pulpo tenía razón. Todo quedó sumergido durante semanas. Muchos han muerto. Gente, perros, gatos. Ahora tenemos más ratones. Los hay que son invisibles y hablan. En medio de todo esto he decidido pedir la mano de mi novia, la hermana del Pulpo.

Antes de la inundación me había convertido en modelo publicitario.

También, finalmente, aprendí a comer guineitos.

No me gustan las moradas porque las negras saben a mentol.

Todo era Brugal, el Ron No. 1 en Calidad antes de la inundación. "Publicidad, pupú, pupú", dijo Henry. Guaroa ríe. Guaroa es nombre de perro. Igual que Bruno.

Aquella noche hubo un pleito y Henry murió.

Esto fue lo que vi: estábamos justo en el medio del lanzamiento de la candidatura del Mamut para síndico de Montecristi. De repente, no recuerdo cuando, vino un alarido ensordecedor.

Era mío.

El alarido estaba a mi lado, pero había salido de mi interior y era enorme. También hubo convulsiones, después del alarido y también mías.

Caos. Golpes... muchos.

En el pecho. En nuestras cabezas.

Golpes por todos lados.

Una inundación (¡Ja!) de golpes.

Y sangre.

Y cueritos de chicharrón.

Todo es cuero.

24 Diciembre

Tengo un arbolito de Navidad. No tengo bolas de Navidad.

¿Qué puede uno meterse un 24 de Diciembre que sea... original?

Matemática COOL:

Una de M (Melcocha) + PT (pa'tilla) = T (Tusio) + Tky2 = HEYYYY!

Eso da Navidad. Pero no tiene nada que ver con:

Un PSH = P—shooon (Pichón: hijo o prole de pajaritos o aves, y en ocasiones un tabaco de marihuana).

Hoy Henry murió.

¡Que el Diablo se lo mame a Drácula!

Abril

En diciembre pediré su mano.

Eso ya lo dije.

El sujeto del espejo me visitó otra vez.

Luce mal.

De alguna forma el tipo logra decir lo mismo que yo al mismo tiempo, en perfecta sincronía, cuando trato de hacer conversación.

Luego se marcha, caminando junto a mí.

En diciembre pediré la mano de mi novia.

En diciembre todo brillará.

Henry murió el próximo diciembre.

Una vez, cuando era pequeño, mi mano se convirtió en un incendio porque me gustaba jugar con fuegos artificiales. Días después se convirtió en un guante de béisbol lleno de pus. Mi mano ha sido muchas cosas.

La calle.

Vacía.

¿A quién coño se le habrá ocurrido eso de morirse?

Henry aparece a mi lado.

Es un fantasma.

Corro como un endemoniado.

Grito como una mona preñada en una película de terror.

Lo del fantasma, definitivamente, nadie me lo va a creer.

Alguien cumple años.

No.

Seguro que muchos celebran hoy el día de su nacimiento. Un día como hoy, la mierda que es la vida, morirán ahogados en la inundación.

Hoy es mi cumpleaños, pero no recuerdo la fecha.

Como el Pulpo me avisó con anticipación no moriré ahogado.

A pesar de lo que me dijo El Pulpo esta mañana, voy a poner a Cereza, mi amada, sobre aviso.

Soy un tipo romántico y por eso lo hago; salvaré a mi amorcito lindo precioso, con todo y sus jugosas teticas como manguitos maduros, su culito compacto y redondo, sus bellos ojitos de papá, y su boquita de mamá—r.

¡Síiiiiiiiii!

¡Mierda-coño!

Que se pudra la maldita Cereza—perra en un infierno mojado lleno de tiburones que la van a hacer preponderante hasta consumir todos los huesos de su hijo de la gran puta cuerpazo, malditísima degenerada, cuero, cuernera, maricona, mama güevo de preso político, ojalá que un gorila borracho le rompa el culo con su güevo de hierro, que le arranque los intestinos y le muerda las tetas hasta arrancarlas de cuajo.

Que la mierda le salga por los ojos, la nariz, la boca y las orejas, que se hunda en el mar toda ella con sus ojos brillantes y sus labios tiernos y cálidos y sus manos de algodón y lluvia, sus pies de luna llena y con ella todo el amor fuerte como la muerte que sentí la primera vez que la vi porque la amo y estoy dispuesto a darlo todo en una batalla fatal como la de la 2da. Parte del Señor de los Anillos, cuyo título no recuerdo... y mi vida.

Es hora de otro té de hongos, que es igual a "requintar".

Hoy es la inundación y nadie sabe nada.

¡Las cosas de la vida!

MAYO

Lo que sigue es el mejor chiste que he escuchado en mi vida: cuando no había puentes que unieran al Santo Domingo racional con el oriental, un tuerto se ganaba la vida cruzando el Río Ozama en su yola repleta de pasajeros.

Un día cualquiera, al caer la tarde, un trovador ciego subió, guitarra en mano, a la yola del tuerto, en su viaje diario hacia el Santo Domingo racional, para ganarse su mierda de vida.

El ciego, mientras el tuerto remaba, afinaba su guitarra.

En determinado momento una de las cuerdas de la guitarra cedió.

Un extremo se disparó desde el confín del diapasón, como un látigo, y fue a dar al ojo operante del tuerto.

El tuerto exclamó: ¡coño!, ya sí llegamos... El ciego, ni corto y perezoso, contestó "muchas gracias", y se bajó del bote, justo a mitad del Río Ozama.

Hay ciegos. Hay tuertos. El momento ideal para bajarse del bote es un asunto serio. Un asunto de cuidado. Quizás, inclusive, un asunto político.

Lo de político no lo entiendo ni yo, que en las condiciones en que estoy soy capaz de explicar... ¿Eh?

En fin.

Que alguien me diga en qué punto termina Ciudad Nueva y comienza la Zona Colonial.

¿En cuál esquina se funden ambas conciencias?

Pensar en esto con un litro de té de campana en el buche... ¡ayyyy!

Y calle abajo.

Cualquier calle de la Zona Colonial o Ciudad Nueva, desde la Francisco J. Peynado hasta la Arzobispo Meriño es igual porque lo único que importa aquí es que todas las calles, hasta las que las cruzan de este a oeste, terminan en el Malecón... en el Mar Caribe.

Calle abajo y la curiosidad me mata.

Un banco en el malecón y oigo el batir de las olas.

Me dicen que debajo de los arrecifes no hay nada porque esta parte de la ciudad es un balcón. Que hace miles y miles de años... miles de años como si fuera dar vueltas a un trompo.

Faltan dos horas para la inundación.

Si yo estuviera muerto no estaría aquí.

¿Que cómo lo sé? No lo recuerdo.

Pero un helado de vainilla no me caería nada mal.

San Valentín sangra

El problema es que odio a la gente que repite todo lo que dice no importa la razón por la que lo hagan. Los odio porque siempre tengo la sensación de que esa gente cree que no escucho o recuerdo o no me importa lo que dice. Y siempre, ¡siempre!, tienen cientos de cosas que decir, temas que discutir, afirmaciones que puntualizar, asuntos que ponderar.

Que hablan mierda como si no cagaran.

Todo lo antedicho es lo mismo que decir que odio a Rita.

Rita repite lo que dice hasta que uno desea ahorcarla. El problema es que Rita está tan buena que uno resuelve practicar algún método de evasión que le permita ausentarse, irse, volar lejos y en el ínterin dar la impresión de que escucha lo que Rita dice y repite una y otra vez.

Es difícil, hay que practicar, ser disciplinado, pero es posible en el sentido de que todo es posible hasta que en medio de la cháchara de Rita aparece su tema predilecto, la pesadilla verdaderamente recurrente, y entonces la certeza de que todo se repetirá como en un ciclo interminable y fatal: San Valentín, el hombre de su vida.

Y luego un "flashback".

A continuación una conversación entre Rita y yo cuyo objetivo es ejemplificar lo anteriormente descrito sin necesariamente hacer las veces de justificación de mi odio hacia la gente que repite todo lo que dice (*Excerpted from original interview*):

Rita (luego de 15 minutos hablando sobre el amor sin pausas visibles para tomar aire): "yo creo en el amor, aunque todos digan que no existe. Creo en él, porque lo he sentido".

Yo: "pero si has fracasado en todo lo que has hecho en el área de lo romántico".

Rita: "no importa… además, tú también has fracasado en todo lo del corazón".

Yo: "pero no creo, nunca he creído, y nunca creeré en el amor".

Rita: "creo en el amor, y punto".

Rita emitía sus enunciados como absolutos y era la más solicitada de todas las chicas que vendían sus bondades en un antro de la Baltasar de los Reyes con Josefa Brea, con todo y tener su regla y besar con lengua hasta a los clientes con halitosis, un hecho harto conocido hasta por los gatos del barrio y que a nadie le daba asco.

Ahora: San Valentín.

Dossier básico: novio de Rita. Profesión: símbolo de indiscutible incidencia en la cultura popular una vez al año. Edad (aproximada): 53 años, aunque no se le nota. Otros: "NA" ("*Not Available*").

"Es increíble... la percepción", me dijo San Valentín refiriéndose a los innúmeros matices y variantes en la forma en que la gente asume su desempeño el 14 de febrero en prácticamente todo el mundo. "La percepción y la gente... increíbles".

A pesar de que San Valentín maltrataba a Rita tanto en lo psicológico como en lo físico, el perverso cupido del mercadeo moderno se entristeció repentinamente.

"Pero no entienden... ahora todo es dinero. Antes, hace ya muchos años, mi trabajo significaba algo", dijo, con todo y que sabía que yo sabía que él mentía.

Le dije: "si todo lo tuyo es el amor, ¿cómo es que tienes a Rita mamando por dinero, si tanto la amas?" San Valentín me miró a los ojos y contestó: "precisamente por eso, hermano mío, asunto de matemáticas: mamando, amar, ¿ves?".

Rita era una mujer caribeña y mansa cuyos delirios le llevaron a creerse descendiente de Elizabeth Bathory, una hija de un soldado aristócrata nacida en el 1560 y fallecida en el 1604, quien asesinó entre 300 y 600 personas. Su familia, miembros todos de la Orden del Dragón (fundada por el padre de Drácula y luego liderada por éste), estaba compuesta por alcohólicos, asesinos, sádicos y toda una pléyade de practicantes de diversas suertes de ritos mágico-sexuales.

También había drogadictos (en esa época había drogas, sí).

Elizabeth tenía seis cómplices que murieron ahorcados luego de su muerte, de causas naturales.

El plato favorito de Elizabeth era genitales masculinos quemados, los cuales engullía arrancándolos a mordiscos directamente del cuerpo de la víctima, "just like" Jeffrey Dahmer.

Aunque Rita nunca, en rigor policial, que no religioso o esotérico, asesinó a nadie y se limitó a chupar los testículos de sus clientes al natural, creo haber visto el brillo distintivo de la enajenación en sus ojos una que otra vez, en medio de la noche... bajo circunstancias que no recuerdo.

Como todo ser manso Rita era, también, una fiera.

Hasta este punto no hay complicación (antes de continuar es importante describir a Rita en lo físico: 5'7'' de estatura. Su piel blanca y lechosa, de la cual mi abuela diría que es como la piel de las españolas de luces que Trujillo trajo para "aclarar" la raza de algunas regiones del sur del país, en los años '40 y '50, migración que luego dio como producto generación tras generación de mujeres de carnes blancas y jugosas pero en conjunto patidifusas). Su cuerpo curveado y casi maternal, de una sensualidad mal manejada, poco grácil. Sus ojos pequeños, su rostro ancho, redondeado... su pelo largo, negrísimo.

"Rita has the face of a dog, a Bull Terrier to be precise", se mofaba San Valentín.

Yo podía oler, leer la ira detrás de sus palabras y él lo sabía.

Aparte de esto San Valentín también sabía de perros... quizás fueron sus conocimientos sobre canofilia los que desataron la fiera que era Rita.

Canofilia: afición que mató a San Valentín y que algunos prelados católicos dominicanos usan de vez en cuando.

San Valentín murió una noche de 14 de febrero y este es un clisé literario y pontificante pero es lo mejor que puedo hacer dadas mis circunstancias. Como era natural, antes de morir San Valentín tenía una pila de trabajo acumulado y, por "default" Rita también, aunque el suyo respondía a una naturaleza un tanto más desapasionada aunque no por eso era un quehacer menos primitivo.

La noche de Rita empezó bien, con dos servicios full y uno sencillo.

El primer full presentó un inconveniente menor: el cliente estaba borracho, deprimido y quería besos.

También conversación y para colmo, ¡comprensión!

Rita cerró los ojos, respiró hondo, contuvo el aire, y sumergió su enorme lengua en el interior del gaznate del borracho solitario gimiendo sensualmente.

El cliente no pudo contenerse: el intercambio duró quince, a lo sumo diecisiete, minutos.

Dos clientes después cayó la noche y la fiera dentro de Rita despertó (si bien los tres clientes sobrevivieron porque Rita nunca se comía a nadie —salvo en el sentido figurado del término— que le fuera a pagar por sus servicios).

En su interior, como un estremecimiento en el elemental de una voz fría y aguardentosa, Rita escuchó dos palabras: "tengo hambre".

Segundos después comenzó a llorar.

Alguien dijo una vez que menos es más. En este sentido, puedo decir que mientras más nos creemos menos somos.

Más sobre Rita: con todo y lo mansa era una fiera; con todo y lo no muy inteligente era articulada y habladora. Es decir, Rita era un manojo de contradicciones embutido en un hermoso cuerpo.

Igual que cualquier mujer, quien aparte de todo era una fiera muy a pesar de sus fanfarronadas sufría la ira y la hinchazón de las encías toda mañana siguiente a una noche de furia.

"That's life".

San Valentín creía en todo lo que le decían de manera incondicional. Creía en las noticias, en los políticos, en las opiniones de la gente, en los postulados religiosos, en los manifiestos revolucionarios, las cartas de intención, los textos sagrados, pronunciamientos sindicales, movimientos obreros, misiones corporativas, máximas filosóficas.

En fin...

Y no es que San Valentín fuera un ser inseguro o creyente, optimista o estúpido.

"None of the above-mentioned".

Él creía, porque como me dijo una noche: "¿Qué otra cosa puede uno hacer?"

San Valentín creía en todo menos en Rita o en lo que salía de su boca.

"¿Por qué? Pues porque ni ella misma se cree lo que dice. ¿No oyes cómo repite y repite y repite todo? ¿Sabes por qué repite todo? ¡Pues para creérselo!", me dijo San Valentín.

Le pregunté si no creía que Rita lo amaba de verdad.

Me contestó: "¡Ah, no!, eso sí. Lo que pasa es que lo tengo grande, muy grande..." Luego se lo pensó bien y rectificó: "no, grande no... más bien enorme".

Esto último lo dijo sacudiéndose el bulto de la entrepierna porque San Valentín usaba pachucos, los únicos pantalones que podían contener un miembro que parecía una caña de azúcar tan ancha como un hidrante detrás de sus pantalones, lo cual me consta porque una vez lo vi orinar – no, orinar no, mear (porque los sujetos que como él viven lejos no orinan, mean) en un solar donde antes había un hotel que fue derrumbado en el Malecón entre las calles Sánchez y Santomé, cerca del prostíbulo que se llama Mónaco.

El hotel había sido muy hermoso (creo que tres estrellas), en algún lugar del tiempo pasado perfecto.

San Valentín me pidió que lo acompañara a realizar la última parte de su ronda del 14 de febrero en calidad de "cronista" de sus aventuras.

Nada como un tipo aburrido para perpetuar un talento mediocre.

El trayecto estuvo lleno de rodeos (San Valentín se había puesto "clumsy" con el tiempo), observaciones inútiles, visitas interminables a bares y restaurantes, escurriéndonos por detrás de los amantes del Parque Colón y del Eugenio María de Hostos, siguiendo parejas por la calle El Conde, subiendo y bajando la cuesta de Santa Bárbara, escondiéndonos en las ruinas del manicomio cuyo nombre no recuerdo, donde permanecíamos esperando no entiendo bien qué dramáticos momentos (un brindis, una mirada carente del nivel apropiado de ternura para la fecha, un conato de pelea, una entrega de flores, entre parejas que él esperaba pero nunca aparecían) para que San Valentín pudiera lanzar su encanto desde el fondo de nuestra capa de invisibilidad.

Horas después de que nos separamos y ya en medio de la más oscura madrugada San Valentín murió engullido por unas fieras hambrientas lideradas por su novia enfurecida, cuyo amor terrenal se había convertido en terror infinito.

"The Horror!", dijo Mistah Kurtz.

"Lo que realmente deseo es comprender la forma en que los eventos históricos se interrelacionan a partir de un enfoque dialéctico original, irreverente, quizá ejercido a través del cedazo de la teoría del caos de Gleick; siempre, claro está, con un formalismo riguroso, a lo Toynbee", explicó Danny, contestando mis preguntas: "¿por qué te gusta tanto leer libros de historia?", y "¿qué buscas?".

Sin esperar comentario alguno de mi parte, como ganando el enfoque perdido, continuó:

"Dime gallo, ¿qué te doy?".

"Dame dos", contesté nervioso, mirando a todos lados, pasándole a Danny un billete de mil convertido en un tubo fino debajo de mis dedos, sin darme cuenta de lo evidente de la maniobra.

"Buena suerte", dijo Danny pasándome los dos garbanzos blancos, mi agradecimiento humilde y reverente (quedé de pagarlos en dos días, a las 4:33 de la tarde), colgando del humo que me cubrió luego del despegue de su Integra negro, limpio, en el que invirtió más de cien mil pesos en aditamentos y adiciones luego de su compra.

Danny era un "pusher" que leía libros de historia y aparte de todo ganaba mucho dinero, porque hoy día Santo Domingo está repleto de tecatos, tecatas y más maricones que—l (contracción de que y el) coño.

Más sobre la noche del deceso de San Valentín:

Todo ocurrió en el trayecto a pie de San Valentín desde el punto en que nos separamos a su llegada, ya transformado en otra persona, al lugar donde Rita descansaba, piernas abiertas como las aspas de un KDK de techo, los labios superiores de su túnel del amor y los alrededores de su "carretera de la mierda" (así llamaba San Valentín al "apretado y bello ano de Rita", robándole la metáfora a los "webmasters" que editaban "adultdirectorydominicanas.com"), embadurnados de Clotrimazol.

Aclarando: mal o bien atados estos solían ser los cabos sueltos que confronté a partir de lo poco que le saqué a Rita (nunca lo único que le quise sacar, "mind you") sobre lo que pasó porque, al final, un susto puede ser humillación y salvación al mismo tiempo: "mejor así y estate quieto, papi, que no te ha pasado nada porque las muchachas te respetan y a mí me gustas un poquito... todavía", me dijo, advirtiéndome sobre algo que aunque sé lo que es no lo comprendo todavía; y a Danny ("mire gallo, el hombre comía pirín – o sea, coca – como si se fuera a terminar").

Los vacíos los llené gracias a Danny: "donde Flavio Josefo, Arnold Toynbee, Emil Ludwig, Stefan Zweig, se quedan sin datos verificables a la luz de los rigores del método científico de la investigación venía el vino y luego la creatividad".

De ahí el actual valor que la historia y su estudio dan a la ficción como fuente de información".

Es decir: lo que no puedas verificar invéntalo.

Dos pases monumentales y un largo trago de Johnny Walter después el pusher-historiador cuyo nombre fuera de escena era Evaristo Carrión dijo: "déjate llevar por el (lo?) racional de los hechos".

Y finalizó diciendo "eso te llevará a la luz".

"De noche el mar es una oscuridad susurrante".

Bonita frase.

Rita sufría arrebatos de poesía realmente buena que luego asesinaba explicándola.

El contexto de este arrebato es el siguiente:

Estamos en el rompeolas del malecón de Santo Domingo, allí en su interior donde el concreto ajado sale hacia la espuma sucia. Mi ociosa vida me ha llevado a ser como todos los pescadores y escritores que al caer el sol se dirigen hacia los arrecifes y la basura que forman un balcón hacia el mar caribe, a pescar nada, a beber hasta el vómito y a rumiar los fracasos, la Zona Colonial y Ciudad Nueva detrás a la izquierda, una cueva calurosa donde quien allí nació se cría como un aristócrata que pudo haber sido.

"¿See?"

Como escritor no puedo describir ni mi propio barrio con el poder y la capacidad de síntesis de... nadie.

En todo caso, la mierda fue como sigue:

Luego de la bonita y poética frase de Rita el Mar Caribe (en minúsculas referencias previas) pareció cubrirse con un manto de luces en movimiento. Pensé en "María la O" y su puta madre.

Pero era la luna.

Rita y yo, en la punta del rompeolas, mirando el mar.

Entonces la miré y por segunda vez en mi vida quise ser propiedad de alguien. Ella me miró y sonrió, mostrándome el cielo y el infierno dentro de su boca, luego dentro y detrás de sus ojos y en el canal de su espalda, en sus nalgas y su nuca.

Minutos después me salvé del cielo y del infierno al darme cuenta de dos cosas: la primera, del peligro de muerte en que había estado y del que me había salvado gracias al resquicio de piedad en todo encierro inhumano que tiene toda bestia, que no yo; y la segunda, que después de dos botellas de ron y cuarenta Nacionales (cigarrillos que saben a torpedo, gripe y carne de pecho de vaca) un hombre es capaz de lo que sea, hasta de enamorarse de la hija del Diablo.

Me dije: ¡coño, Rubén, a eso se le llama un hombrecito baboso y loco viejo!, cogí mi vara de pescar y me fui al carajo, que es como decir que me fui a mi casa en la Padre Billini No. 552, casi esquina Pina.

"The End", que en mi inglés significa "donde se jodió la vaina".

Una bofetada no vale una eternidad en el infierno. Como suele suceder, un macho imbécil no conoce a la fiera acorralada, aunque se lo esté mamando. Quizás si San Valentín hubiera mirado a Rita a los ojos estaría vivo.

¡Pero no! San Valentín era – y esto no lo sabe todo el mundo – un santo caribeño (dato obtenido por quien suscribe en una de las mejores entrevistas que jamás se ha logrado por periodista alguno).

Al hacer su entrada cual rinoceronte a la habitación de Rita empezó a gritar y a tirar todo por el suelo. Luego el golpe. Y poco después un silencio.

Tres días más tarde todavía quedaba sangre roja (¡sangre roja!, sólo a mí se me ocurre) de San Valentín hasta dentro de los zócalos de las paredes.

Nunca volví a ver a Rita, quien huyó con su grupo de bestias y ha prosperado como abeja reina de una casa de citas que abrió en Nagua, sabrán los dioses o los demonios la razón de tamaño éxito.

Creo que en determinado párrafo dije que aquel 14 de febrero en que Rita y sus amigotas se comieron a San Valentín era miércoles, y como dijo el protagonista de una película de terror que vi hace mucho tiempo, "los miércoles puede suceder cualquier cosa".

Nada volverá a ser igual sin San Valentín… creo que en eso todos estamos de acuerdo. En lo personal creo que fue mejor para todos que el sujeto muriera como murió. San Valentín no era un tipo bueno, not at all.

En cualquier caso, el mundo es una mierda de todas maneras.

¿Y qué coño te pasa? Con esa cara de loco sentado detrás de ese escritorio, me dice el doctor perverso, hijo y heredero del doctor bandido, dos personajes que Auguste Bresson se inventó justo en este momento (¡ahora!), cuando usted, el lector, leyó el (¡ahora!), sus dedos encogidos y entumecidos en dos terceras partes (de los nudillos hacia el sur), el resto de su cuerpo, su mente, un vórtice.

Expliquemos el vórtice con una imagen: un escritorio y una computadora no muy moderna. La computadora descansa sobre el escritorio (los escritores siempre dicen que las cosas "descansan"). Frente a la computadora un hombre (Auguste Bresson), un escritor.

La imagen: un "still".

Una foto.

Bresson ha permanecido en esta posición durante un millar de minutos porque él está dentro de su vórtice. Sin embargo, no podemos ver sus movimientos, no podemos percibirlos porque esto no es el cine y todo ocurre dentro del escritor. El doctor perverso llama a este fenómeno "taquipsiquia". Un tiovivo de feria nómada. El tiovivo del Coney Island de La Feria, al lado del Bingo. Otra vez: no es cine. El vórtice de los pensamientos del escritor es imposible de describir. De ser cine entonces quizás... y sólo quizás.

Los movimientos de los dedos de Bresson son veloces; tan veloces que nadie los ve, ni siquiera él. Bresson escribe porque es —o cree ser— escritor de ficción.

En medio de este océano hay un problema que es el nudo del vórtice y la historia que Bresson escribe detrás del escritorio con cara de loco. Ese problema, sabemos, es dos o tres palabras que ni siquiera Bresson conoce.

Claves.

Cuando Bresson logra detener el tiovivo que es el vórtice (algo que, de hecho, es imposible, como él (Bresson) y yo sabemos, algo sucede: vienen algunas palabras que se posan frente a sus ojos y entre sus cejas en imágenes y él logra codificarlas, convertirlas en curvas, líneas, signos).

Después el papel.

Por ejemplo: el doctor perverso, de pie al otro lado del escritorio donde Bresson lo pensó párrafos atrás, dice: "hola", pero la imagen no funciona. El doctor bandido, por su parte, trata de aportar un elemento inteligente (desesperado, de hecho) a la ya incómoda situación pero es asesinado por un agente famélico de la Interzona que hizo su entrada por una ventana que se hizo puerta antes de que él pensara (Bresson) en un quirófano...

Murió. Su hijo fue borrado por Bresson de la siguiente forma: doctor perverso, luego XXXXXXX por parte del escritor sobre su nombre con un Berol Mirado sobre el "printout" (lo cual prueba que el poder del escritor está en su voluntad más que en la magia de su pluma como materialización de un pensamiento, en este caso una metáfora, que nos lleve a pensar en un instrumento que se utilice para escribir).

Bresson tenía poca paciencia.

III

El agente asesino regresó a la Interzona vivo, convertido en un recuerdo sin nombre, un código: almacenar para otro cuento.

Recapitulemos:

¿Y qué coño te pasa con esa cara de loco detrás de ese escritorio?, me dice Luis González, el cañón de su escopeta Browning calibre 12 de doble cañón escupiendo una soga blanca y hedionda a humo y pólvora luego de asesinar al doctor... (nota: arreglar inconsistencia sobre el maldito cañón de la escopeta, no repetir), grita un paréntesis enorme en letra enajenada.

A Bresson, de su parte, ya no le queda memoria. Los doctores que se inventó se convierten en otros doctores. Y él también. Para que sepas por qué coño estoy aquí detrás del maldito escritorio, olvidándote, mujer del demonio, consigue "Insensatez", una pieza de Wes Montgomery luego de su etapa "cool", fue lo último que Bresson escribió. El nombre de la mujer pudo ser Angela, pero Bresson no le dio importancia a la ocurrencia, la aparición, de semejante nombre.

Para ser franco, yo tampoco.

Segundos después colocó el cursor sobre "send" y: ¡click!

Mañana, cuando tengas la mente fresca, me llamas y me dices lo que piensas.

La Poltrona Fantasma
y algunas incongruencias

El anticuario murió hace cuatro horas. El informe sobre su deceso fue redactado a partir de una apropiada, que no rigurosa, recopilación de datos confirmados con indiscutible competencia por Isabel a partir de un examen rápido del cadáver. Isabel es doctor especializada en ciencias forenses; una mujer muy calificada, graduada de la Universidad de Córdoba, en Argentina.

La frialdad profesional con que se ocupó de todo fue pasmosa.

Yo hice de ayudante.

Durante la autopsia trabajamos – Isabel y yo – por cinco horas que se hicieron incontables. Todo fue muy lento. Para matar a un hombre (o tres prostitutas) y salirse con la suya, en un país como este, hay que cubrirse por todos lados, como una tortuga (aunque, pensándolo bien, en República Dominicana basta con RD$ 300,000.00 o poco más, para repartir a los interesados y que te llegue la justicia que te devolverán, que es lo mismo que "para hacer", como me dijo Simón, un amigo de infancia que era Coronel de la Policía, "que una lamentable situación no manche una trayectoria intachable"), o bien ser hijo de diplomático, o ser el diplomático mismo, o funcionario, o tener más, mucho más, que los antemencionados RD$ 300,000.00... (RD$ 300,000,000 es la cifra ideal e infalible). En todo caso, hay de todo en la

Viña del Señor, y para quien sabe lo que hace no hay mayores problemas siempre y cuando se tenga uno que otro contacto y algo de inteligencia, además de seguetas, bisturís, luces, y por supuesto, un cadáver. Por otro lado joderse por un rato largo es fácil si no se es inteligente o no se tiene dinero para sobornar algunos ángeles.

Ahora escucho una sierra y me digo que el anticuario murió hace cuatro horas.

También me digo que miento.

Que mentimos. Isabel y yo. Todos nosotros, excepto el muerto.

Yo soy un cómplice.

Isabel lo sabe todo y yo no hago preguntas racionales, no construyo coartadas. Isabel se ocupa de eso también.

Hace seis horas que estamos cortando, dividiendo, vaciando, separando, cercenando, y luego magullando, reconstruyendo para volver a destruir, y justificar la muerte del anticuario.

"Todo reporte forense es una fuente de información sintetizada por alguien que conoce, con profundidad, el buen uso de los rudimentos de la redacción".

Un buen concepto. No recuerdo quién lo escribió. Seguramente alguien que nunca había visto un cadáver abierto sobre una camilla fría. Por eso escribió una idea tan razonable. Isabel y yo estuvimos a punto de matarnos discutiéndola.

Ahora el cuerpo del anticuario está frío.

Isabel lo toca.

Muerto.

Isabel me mira.

Tócalo, dice.

Yo me niego.

Luego caigo al suelo con un ataque de risa.

"Siempre fuiste un cobarde", me dice Isabel, con cara de asco.

El anticuario murió protegiendo la Poltrona Fantasma.

La protegía de Isabel.

Y de mí.

Primero le ofrecimos dinero por la Poltrona Fantasma. El anticuario se negó. Luego le ofrecimos a Isabel. Nada. El sexo no le interesaba.

Luego de aquello vino la idea. La idea fue mía originalmente, producto de una promesa hecha por un hombre mínimo a una esposa gigantesca, exigente y vanidosa que, en el fondo, temía la idea de un divorcio planteado por mí en un fantasmal acceso de valentía. Un arrebato teatral que ella se tragó. Una amenaza breve (nunca lo dije en serio). Una mentira que valía menos que la Poltrona Fantasma.

Menos dinero, quiero decir… porque la realidad es que estábamos desesperados. No teníamos un centavo.

El problema vino cuando Isabel le dio seguimiento a mi amenaza poco seria. Ella quería la Poltrona Fantasma… y eso era todo. Vanidad de vanidades y a la mierda, que yo quería a esa arpía. La amaba con toda mi alma, aunque fuera una perra.

Como dije el cuerpo del anticuario está frío. Ahora, horas después del asesinato, confirmamos la profundidad de las puñaladas que le infligieron como producto de su reacción contra dos asaltantes que penetraron su tienda a los fines de perpetrar un robo, ubicada a justo dos establecimientos comerciales y unos treinta pies encima de donde nos encontramos ahora.

Aquí, debajo del muelle, hace frío. ¡Sólo a Isabel se le ocurre confirmar una muerte a 30 pies de profundidad, sin saber si hay tiburones en los alrededores!

Suplicante, demandé confirmación de sus intenciones: "o sea, que tengo que meterme al agua, a esta hora de la noche, para ver si el cadáver que tiramos debajo del muelle está muerto".

"Sí", contestó Isabel.

El anticuario era un italiano que tenía un corazón de concreto porque se tomaba cuatro cucharadas de aceite de olvida extra virgen a cualquier hora del día, "a la hora menos pensada", afirmó con orgullo horas antes de convertirse en un colador, justo después de gritarle a Isabel que nunca le vendería la Poltrona Fantasma, porque ella no merecía ser la dueña de semejante obra de arte.

Dije que Isabel, mi esposa, era una perra.

Me explico: a Isabel se le ocurrió la idea de un restaurante ubicado al final de una marina, parte del piso hecho de cristal y con vista al fondo del mar, amueblado con parte del patrimonio de antigüedades del anticuario. Al anticuario, que se creía "restaurateur" y tenía mucho dinero, le gustó la idea.

La Poltrona Fantasma fue una pieza de arte que ambos concibieron hacia el final de la fiesta de inauguración del restaurante al final de la marina.

Más tarde comenzaron los engaños.

Pienso en el anticuario: en su pelo rígido, sus labios firmes. Su piel gris. Sus extremidades que no se mueven. Su mirada líquida.

Muerto.

Escucho el batir del mar debajo del muelle.

Siento el lujo, las edades, a mi alrededor. Su tienda. El lujo de los años. Isabel, mi esposa, dice "listo", aunque "listo" es una palabra rara, ambiciosa.

Veo la cámara que sostiene Isabel. Me doy cuenta de que ha dicho "listo" después de una detonación, de un disparo, de perpetuar al anticuario muerto, con una Leica, hace tiempo epítome de modernidad, hoy una antigüedad operante.

Isabel: "ten cuidado con todas esas cosas viejas y caras".

Pasan unos momentos.

Me gusta el olor del mar, pienso.

El anticuario murió hace cuatro horas y media. Su cuerpo ha de estar frío ya. Después de todo treinta pies de profundidad y cuatro blocks calados amarrados a sus tobillos es algo dramático considerando cómo se hincha un cadáver de seis pies tres pulgadas de estatura, o de largo, 24 horas después de ser cadáver, su apreciable peso reducido por la sangre que perdió luego de las puñaladas minuciosas que le propinara Isabel.

Ni hablar de las corrientes submarinas y extrañas que corren por el este, las cuales no me afectan porque ni siquiera sé nadar.

Y, aun habiendo hecho lo que hice, sigo siendo un cobarde.

En fin, que todo salió bien aun cuando yo había calificado el proyecto de descabellado, en principio, considerando el ruido que haría un camión al salir de la marina cargado de antigüedades a semejante hora de la noche, con todo y que contábamos con papeles de seguro, permiso de mudanza, todo certificado y legalizado, ambos previamente archivados en la estafeta de la Marina de Guerra a la entrada de ese paraíso costero.

Al final, ni el camión hizo tanto ruido como esperábamos ni Isabel gritó tanto como pensé que gritaría cuando, justo a la salida de la marina, sudando como un potro debido a mi nerviosismo, la saqué a patadas del camión y le corté el cuello de un tajo en una curva abierta, para luego depositar su cadáver detrás de unos arbustos.

Hace seis horas que murió el anticuario. Me pregunto qué quedará de su cuerpo maniatado, a treinta pies de profundidad debajo de este muelle. A lo mejor seis horas no es gran cosa porque si Gardel dijo que "20 años no es nada", su cabeza una corona hecha con las nieves del tiempo, entonces seis horas son una mano de bingo.

Cosas de la vida: cuando maté a Isabel pensé que aquella noche estaba más buena que nunca.

El mar...

El lugar escondido

Antes de morir, Arturo, el cocinero, sintió que se moría. Primero sintió que se moría y luego lo pensó. Se dijo: me muero. Sin embargo no sintió miedo, sino consternación. Luego percibió un olor a naranjas a manera de confirmación. Fruta fresca... antes de morir. A dieta, pensó, antes de morir. Dicen que antes de morir uno percibe un extraño olor a fruta fresca, sobre todo naranjas. Luego murió, cayendo de bruces; de su cuerpo brotó sangre en cantidades industriales. Como estaba solo en la cocina y nadie había pedido nada de comer desde hacía horas, ni el diablo o sus demonios se dieron cuenta de lo que pasó. Curioso: al caer el cuerpo de Arturo no hizo ruido, a pesar de lo que dicen de los hombres que parecen barriles. Murió levemente, como hubiera dicho Parménides de haberlo visto. Arturo pesaba 292 libras y murió, cayendo de bruces y deshuesándose la nariz, su tabique y la parte superior de la mandíbula como una pechuga de pavo, levemente.

Como sólo sabía hacer dos cosas (ver los juegos de béisbol y preparar sandwiches absurdos) un conocedor diría que a Arturo no le pesó morir: después de todo no se estaba perdiendo de nada en particular.

Arturo era una pluma de 292 libras.

¡Ahora bien!, él nunca vio a los vampiros, nunca vio a los esposos fantasmas.

Otra cosa sobre Arturo: ni al morir ni durante el transcurso de su vida se dio cuenta de que a la hora de firmar un contrato de por vida con el equipo todos estrellas del más allá viviría en el infierno de su ignorancia.

Había un cuerpo, doce mesas rodeadas de cuatro sillas cada una. La clientela era siete personas, dos fantasmas y dos vampiros. Los fantasmas habían muerto dos horas antes en un accidente automovilístico. Eran esposos, se amaban fervientemente hasta en el estado en que se encontraban. Habían entrado en la sórdida cafetería porque era el único sitio donde había luz viva después de las cuatro cuadras que habían dejado atrás corriendo como locos. El túnel no apareció. Luego del accidente corrieron y corrieron agarrados de manos hasta encontrar una esquina clara.

Las restantes siete personas estaban esparcidas en todo el lugar de manera indistinta. Dos parejas y tres amigos. Todos conversaban y bebían.

El cuerpo estaba en la cocina. El cuerpo estaba, todavía, caliente.

Los vampiros, muy pálidos, se quejaban de la mala noche por lo peligroso que era improvisar vaciando gente que no conocían, gente potencialmente enferma. Se quejaban hasta que el olor a sangre llegó a ellos como una brisa sorpresiva de agosto.

Agosto es un mes feo, pensó el más antiguo de ellos.

El otro, menos antiguo, y por mucho más entusiasta, hundió su vista en el vaso frente a él. El olor a sangre se hizo más fuerte. Las manos del menos antiguo temblaron de repente. "Contrólate", le increpó su compañero. "Tengo hambre", contestó el joven. "Tengo hambre".

Y luego se calló la boca porque tenía miedo de cualquier cosa.

Vivian: siempre lloraba. O parecía llorar. Vivian era tímida y hacía el amor como una salvaje, como si se ahogara, como si estuviera tragando arena. Sus ruidos parecían salir de su estómago y no contenían gozo. Es saludable decir que era una joven de carnes abundantes y jugosas que sudaba como una cerda en calor. Sus senos no eran demasiado grandes y sus nalgas eran redondas y, bajo una mirada cuidadosa, aparecían adornadas con una capa de pequeños vellos rubios. Una casi secreta alfombra de salado vello rubio. El interior de su cálida almejita era límpido, escrupulosamente organizado... bien distribuido, todo en su justa medida, paraíso de un dibujante aficionado. Hacia el final de sus intercambios de fluidos con varones de incierta y diversa calaña, luego de un rígido orgasmo, se reía a carcajadas tras encerrarse en el baño, "por respeto", pensaba y de hecho creía. "Voy a lavarme", decía. Luego reía hasta que se le salía la mierda.

Un hecho: a Vivian, incluso siendo una pequeña reclusa de sí misma, nunca se le salió la orina. Vivian siempre controló su vagina. Sin embargo nunca, ni muerta, pudo controlar su ano ni lo que a través de él salía al confuso claroscuro del tazón del sanitario.

De hecho, tampoco controlaba —y esto a voluntad— lo que entraba. Su ano era el más público de todos los anos de la vecindad, del distrito en que vivía, para ser conservadores.

Vivian era la hija más joven de Arturo. Cuando Arturo murió Vivian no sintió nada, ni siquiera un cólico, ni siquiera el conato de un eructo encebollado. Vivian era una extraña especie de mentira, una mentira en vías de extinción.

Arturo, expadre de Vivian ahora en proceso de putrefacción, siempre odió al novio de su hija aunque nunca se detuvo a preguntarse por qué. A Vivian no le importaba un ápice la opinión de su padre. De pequeña, "papá" fue la última palabra que aprendió a pronunciar. Antes de "papá", Vivian era capaz de decir "Cornucopia", "Eclesiastés", mierda, penumbra, sobaco, vagina y todas las variantes vulgares para mencionar al miembro viril masculino y todo lo que se puede hacer con él, pero no papá. Arturo nunca la maltrató. Lo que sucedía era muy simple para un observador desligado de la situación, consciente y en posesión de los elementos de juicio necesarios para analizar lo que pasaba: Arturo, aun siendo el padre de su hija, no tenía absolutamente nada que ver con ella. Vivian estaba consciente de este hecho y su padre no. Aun así, desde muy pequeña, Vivian disfrutaba al hacerlo sufrir.

Una muestra: "hoy he perdido la virginidad; no creo que fuera una violación porque yo abrí las piernas y gocé como una perra aunque él fue brusco al hacérmelo. Eso sí, lo disfruté y hasta me duelen las caderas y me arden los bordes de mi pequeña chocha rosada", le dijo a su padre luego de que éste le preguntara dónde había estado, no por interés sino por disciplina.

Arturo se quedó perplejo. No comió durante días. Al volver de la jornada de trabajo se encerraba en su habitación y no salía hasta el otro día. Al final de la quincena le descontaron la mitad de su sueldo por los alimentos y platos que había arruinado en la cocina. No es que estuviera devastado por la desconsideración de su hija, o que le importara de manera particular la virginidad de Vivian. Sencillamente estaba perplejo.

De vuelta al novio: básicamente el novio de Vivian era nadie. Se llamaba Ángel, estudiaba contabilidad gracias a un crédito educativo, le gustaba la cerveza tipo Pilsener bien fría, conducía un Toyota Corolla del '89, y Vivian lo odió durante dos meses antes de sentarse sobre su cara hasta casi asfixiarlo. Eso es todo.

La pelea fue violenta, aunque ellos no eran gente violenta. A pesar de la violencia el vehículo se deslizaba por la calle húmeda y resplandeciente con sus llantas bien llenas y con una gracia mecánica. En la cima de la pelea él dijo: "me voy a comer el próximo poste de luz si no te callas o dejas de torturarme, maldita hija de la gran puta". Ella le contestó, amándolo incondicionalmente y como a nadie en toda su vida: "¡pues hazlo porque a mi nada me importa, buen cabrón impotente!" El resplandor del transformador en la cabeza del poste iluminó dos cuadras a la redonda de forma interrumpida, antes de caer. Dentro del fuego él tomó la mano de su esposa. Corrieron. Se detuvieron. Él se ahogaba. Ella sollozaba. Luego ella corrió tirando de él. El la siguió. Dos cuadras después él recordó el fuego que lo arropaba y se detuvo. Ella, dos minutos después, le dijo: "al menos estamos juntos".

Caminaron.

Luego vieron una luz. Era una cafetería. Lo del túnel era mentira. Entraron.

Lo de los vampiros empezó como un juego de poetas homosexuales. Uno era joven y el otro era antiguo. El primero era un clisé. El segundo era un vampiro rico sin dinero que sin embargo se divertía cuando podía a pesar de sus circunstancias. La decepción del joven fue evidente: la vida eterna como vampiro pudiente era una pesada ilusión, un invento del escritor moderno que proyectaba un romanticismo imposible donde sólo había sed.

Hambre.

Como ambos hacían una extraña pareja y era seguro que no se querían demasiado se convirtieron – el antiguo reincidiendo, claro está – en dos depredadores fuera de ritmo, dos vampiros sin química. Ni siquiera cuando compartían la sangre que los unía exhibían ese poético deslizamiento de imaginerías sobre el que tanto habían leído juntos.

A menudo peleaban.

Luego despedazaban a quien interrumpiera su paso. Los diabéticos, dulces pero peligrosos, eran los favoritos del joven. También los hepáticos. El antiguo era prudente y humilde. Recibía las imprecaciones de su joven y deseable amante con resignación sabia. El joven comía y comía sin parar. El antiguo saciaba sus ansias.

En ocasiones el antiguo perdía la paciencia: la ausencia del flujo vital era fatal para el joven, quien primero blandió su orgullo por los aires hasta que una noche de verano cayó de bruces, enfermo, por comerse tres ratones y dos ancianas enfermas.

"¿Ves?", le preguntó el antiguo, dos noches después.

"Veo", le contestó el joven, recordando y airado.

Pero no veía.

No vio.

Después, una incierta noche, ambos vampiros se habían comido toda una fiesta. "¿Qué dirán los periódicos mañana... los noticieros?", se preguntaba el antiguo, despeinando su pelo ralo. "Ajuste de cuentas. Robo calculado. Después de todo no mordimos a nadie en el cuello...", se rio el joven.

El antiguo era un vampiro conservador.

Reflexionó: en la fiesta todos corrieron.

Nadie salió de aquel noveno piso en un edificio frente al Malecón.

El antiguo no dijo ni pío. Sintió miedo. Sin saberlo acariciaba sus colmillos ajados con su lengua roja y arrugada.

Horas después el joven vampiro sintió hambre otra vez.

El lugar escondido era una sala de envíos. Una bóveda enorme y blanca. Ella le sugirió a él que fueran allí a esconderse. El cielo raso de aquella sala era una tienda tejida de temerosas esperanzas y dedos. Miles, millones de dedos delicados y casi transparentes. Pasiones escondidas detrás del telar. Un lugar escondido donde nadie los observaba. En una esquina incierta del telar un coro cantaba tristes melodías sin letra. Los obreros, trabajando en la organización de todos los sobres y paquetes, en un rotundo silencio, parecían estar escondidos. Las miradas no existían allí. Tampoco había ecos. Una cueva secreta donde se organizaba el destino. Los obreros no cantaban. La sala de trabajo, con su espacio denso encima de las cabezas de los obreros, hicieron que a ella se le saltaran las lágrimas. "Iremos allí, al lugar escondido", le dijo a su amado. "Sí", contestó él. "Vamos". Bajaron las escaleras y vieron que el suelo estaba cubierto de hojas secas y que entre ellas vivían miles de gusanos blancos inofensivos para ellos. Ella, de repente, sintió miedo y se escondió dentro del cabello de su amado.

En el lugar escondido había ciudades pequeñas que sufrían terribles maldiciones. En ocasiones una voz profunda les indicaba que tuvieran cuidado con sus pasos, so pena de aplastarlas debajo de sus pisadas.

Ella se llamaba Alicia y como mujer no era la gran cosa. Como toda mujer que no es la gran cosa Alicia tenía ojos grandes y nalgas pequeñas. Vestía mal y no se maquillaba bien. Sus modales en la mesa eran un desastre. Sus apetitos sexuales eran pudorosos y moderados. Tenía pies grandes y ni siquiera sabía bailar. No tenía ambiciones. No era sensual. No era particularmente inteligente. Sus conversaciones se inundaban de silencios continuamente. Era buena estudiante, trabajadora, buena cocinera. No era curiosa u obediente. Era desorganizada. Sólo tenía dos pares de zapatos y sus vestidos eran demasiado largos, siempre. Sus besos eran rigurosos y disciplinados. Aprendidos. El arte le era indiferente. Los deportes le eran indiferentes. La historia, la política, los chismes, las vidas de los demás, la ciencia, la economía, la música, el sexo… la vida misma. Su vida misma.

Alicia era una ausencia con un culo pequeño.

Él la amaba y no sabía por qué. En ocasiones se preguntaba por qué la amaba. Luego desistió. Se abandonó. Entonces la conoció mejor y dejó de amarla aunque sólo por unos días. Como siempre sucede cuando uno deja de amar a una mujer, ella aparece ante nuestros ojos como una revelación, como algo nuevo, después del desprecio inicial.

El almorzaba en una banqueta del parque. Como un rayo en una noche clara ella apareció en su campo visual. Días después él se preguntaba qué de nuevo había visto, qué nuevo perfil había contemplado. También: ¿fue oscuro, o claro lo que vi? Nunca lo supo. Al final, como al principio, desistió. Él era un hombre sin exigencias ni demandas particulares. Un conformista.

Él se llamaba Bruno.

Bruno: un nombre de perro.

La noche en que Bruno se hizo de la virginidad de Alicia fue terrible. Ninguno de ellos disfrutó. Alicia era particularmente estrecha y su cuerpo elocuente. "Serán las expectativas", pensó Bruno, queriendo parecer cuidadoso y romántico, realmente brutal y breve. "De bajo octanaje", pensó Alicia con inusual ironía.

Como era de esperarse Alicia no dijo nada.

Bruno conoció algo nuevo de sí mismo: al igual que Alicia él no era la gran cosa.

Una vez, muy tarde en la noche, vieron unos lobos. La calle oscura parecía un pozo y el grupo de lobos cruzaba lentamente la esquina a la que ellos se aproximaban. El aire olía a sal. Sal sucia del mar que se rompía a sus espaldas. "¿Lobos?", preguntó Bruno. "No", contestó Alicia. "Son Lobos".

Bruno se juró tener más cuidado en lo adelante.

Bruno: una vez vio un vampiro.

Ni siquiera en sus momentos de explosivas percepciones se dio cuenta o recordó haber visto un vampiro. De alguna forma había elegido olvidar aquel evento.

¿Cómo sabía Bruno que había visto un vampiro?

Lo sentía.

El vampiro era un niño. Un niño vampiro. Delgado. Ojeras. Pies largos. Manos huesudas. Mal olor en las axilas a pesar de su temprana edad. Ojos claros. Ágil. Muy blanco. Riqueza en el léxico. Pendenciero. Curioso. Dominante.

Bruno se asustó desde el momento en que lo conoció. Luego lo evitaba.

Todos a su alrededor se extrañaron. El niño buscaba a Bruno. El niño era simpático. Nadie tenía idea de lo monstruoso que sería ese pequeño ser en el futuro. Todos exigían a Bruno que fuera bueno y simpático y juguetón con el niño que visitaba a su familia.

Todo esto hasta que Bruno, haciéndose el simpático, tomó a niño en sus brazos y se colocó frente al contenedor de las especies en la cocina.

Ajo.

Gritos.

Una catarata de mucosidad sanguinolenta.

Una madre histérica y Bruno tratando de ocultar una sonrisa.

Una familia preocupada y "¿qué carajo le hiciste al niño?", "¿eh?", "¡contesta!".

Meses después, en la playa, Bruno intentó ahogarlo mientras simulaba jugar con él en el agua. Apretó su nuca. Empujó sus caderas. Pasaron varios minutos y luego el cuerpecito se hundió. Segundos después el niño se puso en pie y estalló en una secuencia de carcajadas.

Seis pesadillas después Bruno olvidó al niño vampiro.

Considerando lo anterior: Bruno siempre tuvo miedo. Bruno siempre tuvo pesadillas. Por lo tanto: Bruno desistió, se abandonó, a todo, desde muy pequeño.

Alicia era hermana de Vivian. Alicia tampoco sintió nada cuando Arturo, su padre, murió.

Alicia odiaba a Vivian. Vivian era lo contrario de Alicia.

Vivian deseaba odiar a su hermana pero no podía.

Vivian odiaba a Bruno.

Vivian nunca había visto un vampiro.

Tampoco Alicia.

De haber visto un vampiro y estar conscientes de ello, ambas hubieran muerto, aunque de maneras distintas.

Eso es lo interesante.

Los Prados

Noche y estoy en el porche de mi casa (o "galería", como dice el dominicano), hace frío y está nublado y es sábado (parece que para mí siempre hace frío y está nublado y es sábado). Veo una casa al frente y a mi derecha en dirección perpendicular con respecto al punto donde me encuentro.

Ahora: figura borrosa, un fantasma entre las columnas del porche o galería de la casa a la derecha en dirección perpendicular. El fantasma: está desnudo, es rápido. Su pelo negro. Es alto. Sus hombros anchos. Sus huesos.

Por lo que veo las paredes de la sala de la casa del fantasma —considerando sus movimientos furtivos, delincuentes, de muerto, además del hecho de que dos minutos después no puedo ir más allá, hacia el fondo del pasillo y al interior de las habitaciones porque un abismo oscuro me lo impide y me da mucho miedo— están empapadas de sangre.

Y de escrituras misteriosas que nadie entenderá jamás.

En Los Prados se ve de todo, diría el dominicano muerto que vi desde el porche o galería de mi casa, al frente y perpendicularmente posicionada con respecto a donde me encuentro si pudiera ver su propia casa o a sí mismo entre las columnas, desnudo, rápido, su pelo negro, sus hombros anchos, sus huesos.

En este punto hasta yo dudaría de lo que dicen los fantasmas dominicanos, con todo y haber visto más de cien desde más o menos dos años al día de hoy cada vez que estoy en Los Prados.

Huyo.

Epístola sobre una transformación

Mana:

¡Qué situación!

Perdona que no te haya escrito antes. He estado un poco ajetreado en estos días rindiendo honor al juramento hipocrático y toda la bazofia que conlleva. Sabes de qué te hablo. Pero ahí vamos.

El asunto es que luego de interminables debates internos resuelvo escribirte y contarte lo que ha sucedido en estas últimas semanas, fuera de los rigores bien remunerados de mi profesión, en busca de luces sobre la situación que estoy viviendo en este momento, la cual ha venido desarrollándose de manera implacable, como la marea que presiente la víspera del atardecer, como el tiempo sobre el cuerpo o, como diría Rousseau, nuestra máquina.

Te ruego, de más está mencionarlo, tu discreción sobre el particular.

El caso es el siguiente: me siento raro y el único término que se me ocurre para describir los síntomas que me aquejan, de todos los que conozco, es el siguiente: me siento como una esposa (puedo verte, así es la profundidad con que te conozco, el marco de tu cara ensanchado por algo parecido a una nube que flota sobre un campo verde, tu sonrisa ataviada de los conocimientos de quien ha estudiado el aparato este, de quien descarta con desenfado todo operar metafí-

sico, de quien es docto) aunque sin exhibir los promontorios que distinguen a la mujer del hombre a ojos vista (en el
caso de Juliana, mi esposa y tu enemiga, como bien sabes,
con una elocuencia pasmosa), y conservando un miembro
colgante de una longitud nada envidiable para cualquier la-
tinoamericano en la plenitud de su desarrollo corporal y
áreas circundantes a lo que conocemos en la mecánica auto-
motriz al mejor afinamiento o "tuning" de la máquina re-
productiva, del obelisco íntimo, de la dignidad que el in-
nombrable nos dio.

¡Con pesar te digo, mana, que poca cosa ha probado ser esa
breve y cartilaginosa dignidad!

Pero esto es un chiste y lo sabes. También sabes que soy
malo para los chistes.

Sigo en el caso: como dije te conozco con profundidad y sé
que estás al borde de la risa y que piensas en Kafka, en Gregorio Samsa convertido en cucaracha y en su hermana Grete
queriendo "hacer todo lo posible para facilitarle su activi-
dad, quitando los muebles que le estorbaban, sobre todo el
baúl y el escritorio", como reza la abigarrada crónica, no
puedo evitar asociar el sentimiento de perfección que me
inunda de nostalgia al momento de recordarnos como la
hermana regordeta y cariñosa que, siendo más alta que su
famélico hermano, robándole su tiempo dedicado al estudio
de la naturaleza con sus estuches de química comprados en
La Margarita de los '70, lo ayudaba a subir al triciclo que
compartían acompañada de todas sus muñecas y compañeros imaginarios de juego, para luego pasearlos por gran parte
del Mirador del Sur bajo la mirada enternecida de su madre
y una tía que en realidad no era tía (supimos después) sino
una opción poco ortodoxa de vida compartida a la mediana
edad con miras al futuro por nuestra madre... una amiga especial y discreta que moría por ganar nuestro aprecio con

practicadas palabras simpáticas sin saber que eso nunca sucedería.

Y yo sé que desde siempre he descartado todo lo que conocimos y de lo que nos burlamos más tarde, en medio de nuestras cultas adolescencias, calificándolo como "esa ansia del hombre de poner nombre a todo lo que no conoce", esas habladurías sobre "el ser", aquel caballo al que Nietzsche pidió perdón por lo que dijo Kant (Kundera, tu favorito, ¿eh?), las observaciones deprimidas del existencialismo... en fin. El ser, hermana, el ser.

No estoy loco, te digo la verdad. Se trata de algo que siento en mi interior, algo que me dice que Juliana (perdona que mencione su nombre, sé que no quieres saber nada de ella luego de aquella última y fatídica pelea el día de Año Nuevo del 2002 en la que ambas abandonaron los méritos acumulados a través de años de mutuos esfuerzos por soportarse) se ganará mi comprensión porque me voy a poner sus zapatos. Es algo así como cuando te pregunté qué se sentía ser mujer, un domingo de bingo familiar bajo una mata gigantesca de aguacates en casa de tía Iris. ¿Lo recuerdas? Yo sí. Tenía 10 años. Tú tenías 14. Me contestaste que era difícil de explicar. Que tendría que ser mujer para saberlo.

Lo que quiero decir es que necesito ayuda.

Te veo y entiendo, hermana. Créeme que lo entiendo. Sencillamente crees que he perdido la razón. Te juro que no es así. Lo cierto es que pronto sabré qué se siente ser mujer.

Ahora algunos detalles:

Como bien sabes, en mi hogar (o comunión de soledades) las discusiones son la esencia de la trama cotidiana. Todo se acumula, sobre todo la ira, que en este caso es peor que el agua. El gatillo que disparó recientemente la ira imponderable de los primigenios, por no decir Dios, fue una discusión sobre los delfines, al final de la cual salí victorioso porque logré demostrar, voz en cuello, la superioridad masculina biológica y anatómicamente comprobables en el gimnasio de la neurología y sus indescifrables ejercicios. Victorioso... eso creí.

Y, para colmo de males, fue fácil.

Memé, mi tía abuela bruja ahora muerta, decía "todo se paga" y yo no lo creía.

Como soy neurólogo y conozco cada recodo del breve laberinto de la paciencia de mi esposa, fue fácil obtener la victoria en el casi olímpico y totalmente airado intercambio, sobre todo utilizando tan elocuente ejemplo, carnada cuyo olor la atrajo hacia una cancha que yo sabía Juliana no dominaba... Los delfines, y sus decencias inteligentes, sus ímpetus que dibujan una historia en la que el sexo en las profundidades está más allá de Eros y sus elucubraciones mitológicas.

Por otro lado, la ejecución de mi victoria se vio facilitada por las evidentes diferencias que nos separan —y paradójicamente, en momentos determinantes, nos unen con una suavidad sobrecogedora— a ambos sexos, sin dejar de lado, a la hora de apelar a la mitología sagrada, el orden establecido tanto en la jerarquía instituida desde el principio de los tiempos como en los otros estamentos de la sociología doméstica.

Y eso fue hace millones de años.

Pero me estoy adelantando. Ante todo debo decir que como ella sabe que yo no creo en Dios, o en la acepción de deidad que ella o su familia puedan tener por imposición de tradiciones religiosas de generación en generación, la muy ignorante puso un altar en el cuarto de servicio de nuestro apartamento, sólo para provocarme, para tentar mis inclinaciones hacia lo racional, para perturbarme... ¡qué sé yo!

Un altar que sería un filete jugoso para cualquier antropólogo, en honor a la verdad... porque, debo decir, siempre intenté comprender su furia, su deseo irrefrenable de dominar (el de Juliana, quiero decir).

Pero al final me di cuenta de que ella es así, y nadie la cambiará aunque el mismo Apolo abandone la tierra y salte de la tortuga para hablar con ella.

Todo esto, como imaginarás, fue un proceso (lo de hablar con Juliana o sostener conversaciones que nunca sucedieron, como siempre sucede con la mujer). Al principio todo fue bien. A pedir de boca, hay que decir (para beneficio de mi consorte, esto es), hombre respetuoso que soy. Después de todo creo que es justo que todos tengan su espacio, pero también creo que el respeto al derecho ajeno es la paz (Benito Juárez). Yo respeté su espacio. Ella no respetó el mío. Y ahí vinieron los problemas, porque a ella se le subían los demonios hasta por mis juegos semanales de billar con los colegas del Hospital Materno Infantil Robert Reid Cabral, un grupo de dicharacheros borrachones enrolados al quehacer médico.

Porque nadie, hermana querida, sin importar el lazo que nos una, tiene derecho a invadir mi privacidad (puedo verte asentir y te digo que sí, alma gemela, sí, porque recuerdo aquella oportunidad en que coloqué chinchetas a la entrada de mi habitación mientras me masturbaba con aquella revista que tú me regalaste, luego de que madre entrara un día de manera intempestiva y realizara una requisición exhaustiva de mis posesiones, por lo demás menudas y frugales en aquel momento de nuestra infancia: recuerdas, estoy seguro, sus gritos, su sangre, su pie hinchado, la paliza que me propinó tío Livio.

La invasión comenzó de la siguiente manera: un olor a ácido muriático.

Y las oraciones a los loases, cuyos nombres apenas conozco no por curiosidad hacia la intríngulis de lo sincrético y gracias a la repetición incansable de mi esposa en lo cotidiano.

Que no me dejaban dormir, que no me permitían leer, que me quitaban la concentración cuando escuchaba música o me sumergía en las maravillas de Discovery Channel o National Geographic o Animal Planet.

Una noche, esa noche, discutimos y así fue como surgió el último y eficiente recurso de los delfines y la neurología, en contraposición a sus débiles argumentos de la fe y, hacia el final, sus amenazas sobre lo que me haría un santo o ángel o qué se yo y no sé cuántas majaderías irracionales más.

Tú conoces, hermanita querida, la ira de Juliana. Inmediatamente después de la discusión, todavía gritando improperios ininteligibles sobre su hartazgo y la ira de sus dioses, mi esposa se sumergió en lo profundo de su catedral personal, como llamaba a su habitación convertida en altar para burlarme de ella. Dos horas después salió de la misma —yo estaba en la cocina preparando un té de Tilo— renovada, transformada en un ser diferente, su rostro limpio, su piel lozana... parecía otra persona, otra mujer (hasta, puedo decir, su voz sonó diferente cuando me dijo, casi con humildad, "buenas noches", y se marchó a nuestra habitación).

Yo, apelando a mis superficiales conocimientos de lo que suponemos pasó hace millones de años —los cuales no consisten más que en casi religiosas repeticiones de lecturas que permanecen embobinadas en mi cerebro listas para salir disparadas en cualquier momento y bajo el más mínimo estímulo— lo que me llevó a pecar.

Mi pecado no fue burlarme de su ignorancia, aplastarla con mis conocimientos, derrotarla con mi ironía y ganarme su silencio con encerronas intelectuales mezquinas y envueltas en el halo de la desigualdad y la manipulación.

No.

Mi pecado fue la risa.

Mi risa por: su cara de estúpida cuando terminé mi discurso.

Debo decir que, en realidad, ella no era mala persona. Cierto, yo estaba harto. Un hombre de mi nivel necesita retos, necesita un ritmo de vida a la par de sus inquietudes tanto en lo económico como en lo intelectual.

Aquella noche, mientras dormía, soñé que compraba un billete de lotería en los alrededores del Parque Independencia un domingo temprano en la mañana. Luego de pagar el billetero me tendió la tira de billetes y pude ver que el terminal del mismo era el número 69.

Y eso fue todo. Y ahí, manita, fue que me jodí.

Esta carta es apenas un adelanto. Mañana continuaré abundando sobre la situación. ¡Ay!, manita, si supieras el alivio que me da desahogarme de esta forma. La única persona en que confío eres tú y lo sabes (necesito de mi hermana, la de antes, la de nuestra infancia, mi compañera de juegos, de mariquitas, de tardes de té, de interminables desfiles de moda con Barbie y Ken).

Mira que quitarle a una su única diversión semanal fuera del matrimonio, la de juntarse con las muchachas del trabajo a jugar voleibol en el Club Los Prados hasta las nueve o diez de la noche, que además me sirve de ejercicio porque mi suscripción al Body Shop se venció y no me motivo a renovarla, tan deprimida he estado en estos últimos días.

Bueno, manita, te dejo, que Julián trajo dos meros de tres libras y media cada uno y quiere que se los cocine al vapor para unos amigos del hospital que vienen a jugar dominó y a darse una hartura de ron, ¡además tengo un lavado para tender que tú ni te imaginas!

¡Tú sabes cómo son estos hombres de ahora!

Un beso,

J.

Morir soñando

Gia camina por Jamal El Fna, en Marrakech. Lleva pantalón khaki, una camisa blanca y botas marrones para cabalgar. El sudor baja por su cintura. Calienta sus nalgas turgentes. Moja la parte baja de sus senos firmes. Quisiera no llevar nada debajo de su atuendo. Quisiera llevar un largo vestido de lino blanco y sentir la brisa en su entrepierna caliente. Es extraño caminar entre especias y telares, entre el vulgo vocinglero de esta plaza terrible, entre serpientes y el vapor de la fritanga de harina y cebada, y sentirse húmeda, como ella se siente, húmeda como una premonición... Esta es Gia, y un sombrero panamá cubre su pelo sudado. Es temprano en la mañana. Gia es seguida por la versión local de los coolies, quienes la han llevado allí a comprar joyas, alfombras, tejidos. Le ofrecen baratijas, kurtas, comida, prendas, jarrones. Pero en realidad, Gia no sabe lo que busca... pero sabe que busca algo que está escondido en lo profundo de este lugar misterioso que se llama Plaza de la Muerte. Se detiene, hechizada brevemente, ante un encantador de cobras y, mientras ve la sinuosa criatura contorsionarse ante los seductores patrones comienza a oír los estertores de una discusión airada que viene desde un pasillo de tenderos de especias.

Entonces oye una voz que viene como desde lo más profundo de cientos de años, rasgando las paredes de un túnel oscuro hecho de la arcilla más antigua que podamos imaginar. Esa voz dice lo más extraño que jamás la oyó decir: su nombre.

Gia.

Y ella se voltea con un agujero negro en su cabeza, una tormenta en su pecho, un terremoto en su cintura, y una catarata bajando por su monte de venus.

Y es a mí a quien Gia ve.

A mi... que vengo huyendo de estos asesinos porque les he robado una caja terrible sobre la cual leí una vez en unos escritos arcanos sobre brujería primigenia, una caja sagrada que abre las puertas de una región transparente pero infernal, ambigua y desigual, donde ellos, los cenobitas, descansan. He venido a buscar esa caja y no me he dado cuenta de que el verdadero secreto, ése que podría convertirme en un ángel o en un demonio, el que podría redimirme o condenarme, no es el objeto de mi deseo mundano, que es la caja, sino esa mujer con sombrero que me mira como si yo fuera el hombre más hermoso del mundo surgido de una tumba de cientos de años.

Y por esta razón, Gia me da una bofetada que me hace girar sobre mis talones.

Y le digo: ¿¡Pero coño Gia y qué fue!?

Gia: hijo de la gran puta (otra bofetada). Maldito (empujón). Cabrón (arañazo). ¡Tú estabas muerto! (patada en la rodilla). Y sí, yo estaba muerto. Así me quedé, bajo media tonelada de tierra, por el bien de Gia. Después de todo, ¿qué iba un traficante de armas a hacer mientras lo perseguían unos traficantes de droga que había engañado, para financiar una última operación que me permitiría vivir con la mujer de mi vida en alguna isla remota del Pacífico, escondidos de todo, bebiéndonos y comiéndonos el uno al otro, por el resto de nuestras vidas?

¿Qué hacer? Salvar su vida fue lo que hice… mientras comía tierra como un endemoniado, y apostaba a mi supervivencia futura. Veinte huesos rotos y cinco años después, me encuentro a Gia en Marrakech y, fíjese usted, ¡todo amor! ¡Como siempre, "a case involving strippers"!

Le explico a Gia lo que pasó, y lo que está pasando. Le muestro la caja. Pero sus ojos han cambiado. Ahora, su mirada tiene hierro y ha perdido terciopelo. Ahora, Gia carga una nueve milímetros y guarda una caja llena de heroína en una estación de tren, sus contactos se extienden desde Kabul hasta Djibouti, con el opio, desde Tokyo hasta New York, a ritmo de coca, y trata de pieles en Brasil.

Gia se pasea por la Plaza de la Muerte para no perder la noción de su mortalidad… y comprar una que otra alfombra matizada con diseños y patrones nunca vistos.

De vez en cuanto piensa en mí, dice.

Pero ya no llora.

La muy maldita, todavía me quiere, pero cuando intento tocarla, me clava el frío cañón de su Dessert Eagle entre las piernas y me dice: este totico ya no es suyo compadre, ahora es mío nada más.

Y entonces me da el beso que, de verdad, de devuelve de los muertos…, y me recuerda que ella es una diosa.

Muchas cosas habían cambiado: Gia bebía como un cosaco. Hasta un bar favorito tenía… se llamaba Constrictor, y estaba enclavado en ese medio mundo donde el distrito comercial de Marrakech, entre cafés sofisticados y de onda cosmopolita, se mezcla con lo más oscuro del cieno oriental. Un mar muerto en medio de la mármara. Allí, en Constrictor, Gia era la dominadora esencial. Había dado golpizas, había patrocinado repudios callejeros, había roto pandillas a pistolazos y cabezas voladas y sabía Dios cuántas cosas terribles más. Mientras estuve muerto, Gia se había desatado: había volcado toda su soledad y su amor hacia un pozo oscuro, y había obtenido, de vuelta, un rayo negro de miasma y cieno y sensualidad en la forma de una capacidad satánica de manipulación.

Gia era una gran serpiente en cuyos ojos fríos yo adivinaba ese amor tierno y dúctil, inflamable, que nos hacía cabalgar sobre las noches hasta el amanecer: singar, coger, follar, fornicar, como dos posesos sudorosos y jadeantes que detienen sus arañazos, sus pataleos mortales, sus penetraciones ruidosas, sus culeadas interminables, sus mojadas salivaciones y chupadas, sus mamadas y chuleadas, sus besos y mordidas, solo cuando había sangre.

Y entonces volví a amarla y me dije que ella me amaba a mí, en medio del estruendo de la música enloquecida de Shuba Mugdahl, cuando sentí su mirada sobre mí. Al mirarla, ella sonrió: no, yo no te amo, me dijo, y su sonrisa se convirtió en una pesadilla de mil demonios. Sí, me amas todavía, lo siento en la mesa, lo siento aquí abajo (y me agarré la entrepierna). Eres un come mierda y la próxima vez que me hables de amor te mato, perro asqueroso, dijo Gia.

Pero había un brillo en sus ojos... un brillo que decía, entra, cógeme, soy tuya.

Y eso hacía yo, siempre y cuando nuestros perseguidores me lo permitieran. Y es que, verás, desde nuestro fortuito encuentro en Jamal El Fna (al menos, lo que en ese momento entendí por fortuito) y aunque no me di cuenta hasta poco más tarde, Gia y yo fuimos seguidos en todo momento; o seguidos (se podría reemplazar por acechados para no repetir), u observados, escrutados, por ojos secretos y miradas furtivas que registraban todos nuestros movimientos.

Eramos el objeto de la mayor trama de envidia cósmica que se pueda imaginar. Los perros de tíndalos nos perseguían. Los ángulos de los pasillos y salones de los palacios de nuestras mentes daban entrada a esas deidades perfecta y absolutamente malvadas que habitaban las dimensiones desconocidas donde viven los monstruos primigenios más terribles. Ella y yo, perfectos mientras permanecíamos unidos, éramos el sueño hecho carne. Debo estudiar el pasado cercano, nuestras circunstancias, para explicarme mejor.

Las notas de felicidad, mientras tanto, eran breves y yo vivía mordiéndome la lengua continuamente. Ella me miraba con recelo. Así era Gia: durante la noche, yo le pertenecía... ¿me entiendes? Literalmente... yo, Rubén, el criminal más buscado del Mediterráneo, era su juguete... y yo era, al tiempo que juguete, absoluta e irremisiblemente feliz. Porque ser su juguete me completaba como criminal a medio tiempo, y ella, mientras sembraba destrucción a su alrededor precisamente porque me amaba, de alguna forma tenía que liberar las tensiones, ¿o no? Ergo: Rubén, el juguete... el juguete feliz.

Me explico: aquel sábado en la mañana el timbre de nuestra habitación hizo que ella cambiara de lado mientras yo me tiraba la bata de entrecasa encima, no sin cierto recelo porque no había ordenado desayuno a la habitación. En lo que el asesino me propinaba cuatro culatazos con su Mágnum en la cabeza, el hombro derecho y la cara, Gia le metía seis certeros balazos entre los ojos y el cuello... en un silencio sepulcral. "Ponte de pie, loco viejo", me dijo, sibilante. Minutos después, mientras nos deslizábamos entre montañas y acantilados por una carretera en un Aston Martin que yo había encendido directo, me preguntó, con una dulzura inconmensurable, ¿te sientes bien, mi rey?, acariciándome la cara, el pelo. Le contesté que sí, y ella tomó mi mano. Entonces se detuvo en medio del camino, montaña a nuestra derecha y horizonte azul a la izquierda, y me rompió el dedo índice de un retortijón que me dolió más que una patada de burro en los cojones.

Pero ella me amaba, y pronto te voy a explicar por qué.

Sé que estás ansioso. A mí me pasó lo mismo dos segundos antes de estrechar su mano: todo el que estrecha la mano de Gia en determinado momento queda electrocutado... sus músculos se contraen alrededor de sus aparentemente frágiles dedos, abrazando su mano de octava, caliente y suave... siempre, claro está, mirando sus ojos. Sé que te ha pasado lo mismo que a mí antes de estrechar su mano... me contaron, como yo a ti, sobre Gia, y fui poco a poco haciéndome una idea, construyendo un edificio de circunstancias, un palacio de situaciones, sinfonías y cantatas en las que las inflexiones de su voz, los sonidos de fondo, todos mezclados en permutaciones interminables, quedaban como el abismo. Para no repetir) de sueños que sonaban a ficción, taconeos y bailes, risas y susurros, gritos agónicos... y gemidos.

Te ríes, ¿eh?

Pero yo sé más que tú... tú, que ahora te ríes, vas a caer hondo, como yo.

Como, recuerdo ahora, cuando caí por aquel desfiladero.

Pero eso lo vamos a dejar para más tarde: ahora quiero contarte la primera vez que fuimos al supermercado juntos, Gia y yo, con la finalidad de asaltarlo!

Has de saber, antes que nada, que así como la recuerdas (porque la recuerdas, ¿no?), Gia era tremendo tenedor. Con todo y sus contornos jugosos, con todo y sus piernas de piel cremosa y torneadas por la natación, las largas corridas en el Parque Mirador antes de ser bombardeado por la Golden Dawn, y, por supuesto, por los cientos de miles de patadas que propinó a lo largo de su muy fructífera y violenta carrera, rompiendo quijadas, destrozando testículos, desarticulando columnas vertebrales, deshaciendo rótulas, incrustando narices, en cinco continentes y más allá. Las patadas de Gia eran verdaderamente globales... me gusta pensar así.

El caso es que Gia era capaz de zamparse tres Club Sandwiches de los que vendía Prakesh Tata, en St. Mark's con 1st. Avenue, allá en New York. ¿Entiendes?

Domingo en la mañana y Gia anuncia que tiene hambre. ¡Vamos al supermercado!, dictamina y yo, como siempre, la sigo. A la entrada al supermercado, típico Gia... "vintage" Gia. Se detiene a la puerta y en décimas de segundo tiene ubicadas las cámaras de seguridad y el patrón de sus movimientos, incluso cuando eran fijas y bajo aureolas negras, de las que las hacen indistinguibles. Haciendo honor a su gran entrenamiento (CIA, Mossad, KGB en el final de sus días allá en la avenida Beria), y yo sospechando, o bien, sabiendo: esta no es una compra normal... noooooo, no lo es. Gia no viene a comprar...

Y no, no iba a comprar. Gia iba a divertirse.

Gia iba a asaltar el maldito supermercado.

¿Qué cómo lo sé? Pero pedazo de estúpido... así como te lo cuento. Yo estuve allí. Bueno, una cosa es la forma en que mis sospechas adquirieron fundamento.

Asunto de risa... y te explico: Gia tenía una forma de moverse, de contonear la cintura, una, como dicen, "naiboa" en su cadera, en sus hombros; su piel blanca adquiría un tono oliváceo. Sus ojos brillaban. Ella reía... pero no era una risa demente. Era una risa de las que hacen la diferencia entre hacer el amor y singar, entre maldecir o mandar a la mierda, entre... ¡tú me entiendes!

Y así comenzó: en el pasillo de las conservas. Aceitunas negras por los aires. Salmón rosado Bumble Bee, al suelo. Hongos Roland, volando en línea recta hacia las carnes. Aceitunas negras: Crick-crick-crick, cantó la tapa del pomo, ¡y al piso! Encargado de seguridad que dice "señorita, ¡deténgase!", tragándose el cañón de la Desert Eagle de Gia, mientras yo le digo "oye bien si no quieres que vendamos tus sesos en el deli, cállate la maldita boca buen comemierda".

Y Gia que se para, con sus piernas como pilares de estatua griega, con sus panties negros intentando en vano detener el ímpetu de esas nalgas suyas, jugosas como dos melocotones maduritos, mientras su sonrisa vertical se burla de mí desde la cima de un cabezal de góndola que ésta, la mujer de mi vida, la dueña de la sonrisa, derribó mientras gritaba (a ritmo de dos ráfagas de seis disparos cada una, igual que un "cállese coño" de los mismos dioses): "Todo el mundo al piso, partida de maricones y cueros, que esto es un A—SAL—TOOOOOO, y tengo HAM—BREEEEEEEE".

Y, ¡claro!, todo el mundo al piso.

Entonces Gia se voltea hacia mí y, atrapando mi cara entre sus dedos, me besa con una ternura de mil infiernos y la sensualidad de una Gorgona en celo, diciéndome: Rubén, amor mío... y yo, que le contesto, con la pinga tiesa como una antorcha en una mina oscura, dime, "mushasha". Y ella: coge el dinero de las cajas registradoras... lin—do.

¿Qué hacer? ¿Cómo no obedecerla?

En el parqueo, mientras, como siempre, para añadirle tensión a mis destrozados nervios, y algo de excitación a lo que Gia llamaba "general plotline" de nuestras circunstancias, haciendo ceritos en un Mercedes Benz 660 de ocho cilindros que, de alguna manera, logré poner directo solo para quitarme de en medio a los dos segundos, entregándole el mando a Gia, que era mucho mejor chofer que yo, resulta y viene al caso que, ¡pardiez!, llega la policía.

Una observación, o profunda o a vuelo de pájaro, de este panorama, nos llevaría a concluir, necesariamente, en un sepelio.

Ante los alaridos de las sirenas que avisaban la presencia de las patrullas en el parqueo subterráneo del supermercado, Gia me ordenó: "sal", pasándome una granada de mano, y acto seguido comenzó a dar un rodeo alrededor del parqueo, el chirrido de las gomas del Mercedes levantando un nubarrón gris, mientras la primera patrulla viraba a la izquierda y la otra se dirigía hacia Gia, a toda velocidad. En eso, me detengo en medio de la primera patrulla, saco la granada de mano, se la muestro a los dos oficiales que me apuntan una L-Frame de Smith & Wesson más vieja que el agua tibia y una escopeta calibre 12 más larga que un matrimonio obligado, y le quito el seguro. Mientras el segundo policía amartilla la escopeta el primero, del lado del chofer, levanta las manos, en gesto apaciguador. Del otro lado, Gia intercambia una intensa y cariñosa mirada con sus interlocutores mudos, quienes le apuntan con sus armas, y ella, detrás de la puerta del chofer del Mercedes, les muestra su Desert Eagle, y con la otra mano los conmina a acercarse.

Miro a mis policías. Miro a Gia. Los policías de Gia se acercan a ella, con cuidado. Gia baja su pistola, y me mira… acto seguido, coloca sus manos blanquísimas sobre el bonete del Mercedes… y entonces, entonces… yo miro a mis policías, quienes se voltean brevemente a mirar a sus compañeros y a Gia, quien ahora tiene los codos sobre el bonete del carro y… sus nalgas, enarcadas, su espalda curvada, el aviso de sus panties debajo de su faldita, y los policías, confundidos…

Yo le quito el seguro a mi granada y me preparo a lanzarla, mientras Gia le mete un Manolo Blahnik entre los cojones al primer policía e incrusta los dedos de su mano derecha en la garganta del segundo... y yo lanzo mi granada.

Todos corren, la granada estalla.

Blam....

¡Humo!

Gia me mira, coloca la palma de su mano derecha sobre sus labios, y hace algo que nunca la he visto hacer: me tira un beso.

Y luego despierto.